Nous remercions la SODEC
et le Conseil des Arts du Canada
de l'aide accordée à notre programme de publication
ainsi que le gouvernement du Québec
– Programme de crédit d'impôt
pour l'édition de livres
– Gestion SODEC.

 Patrimoine   Canadian
canadien   Heritage

  Conseil des Arts   Canada Council
du Canada   for the Arts

Nous reconnaissons l'aide financière
du gouvernement du Canada
par l'entremise du Fonds du livre du Canada
pour nos activités d'édition.

Illustration de la couverture :
Laurence Pilon

Montage de la couverture :
Grafikar

Édition électronique :
Infographie DN

Membre de l'Association nationale des éditeurs de livres

ASSOCIATION
NATIONALE
DES ÉDITEURS
DE LIVRES

Dépôt légal : 2e trimestre 2012
Bibliothèque nationale du Canada
Bibliothèque nationale du Québec

234567890 IM 098765432

Le frère de verre

DE LA MÊME AUTEURE
AUX ÉDITIONS PIERRE TISSEYRE

Collection Sésame

Pierrot et l'été des salamandres, roman, 2006.
La réglisse rouge de grand-maman, roman, 2007.
    Sélection Communication-Jeunesse.

Collection Papillon

Les malheurs de Pierre-Olivier, roman, 2006.
    Sélection Communication-Jeunesse.
Monsieur Édouard et mademoiselle Jasmine, roman, 2008.
    Sélection Communication-Jeunesse et finaliste au Prix littéraire
    Ville de Québec 2009.
Le garçon qui aimait les contes de fées, roman, 2010.
    Sélection Communication-Jeunesse et en lice pour
    le Prix littéraire Tamarack 2012.
Opération orange soufflée numéro 7, roman, 2012.

Collection Conquêtes

Maximilien Legrand, détective privé, roman, 2005.
    Sélection Communication-Jeunesse.
Les anges cassés, roman, 2006. Prix littéraire Ville de Québec 2008
    et sélection Communication-Jeunesse.
Les oubliettes de La villa des Brumes, roman, 2009.
    Sélection Communication-Jeunesse.
Liaisons dangereuses.com, roman, 2010.
    Sélection Communication-Jeunesse et finaliste au
    Prix littéraire Ville de Québec 2011.
Les échos brûlés, roman, 2011. En lice pour le Prix jeunesse
    des univers parallèles 2012.

Collection Ethnos

Chimères, roman, 2007. Sélection Communication-Jeunesse.
French Kiss *ou l'amour au plurielles,* roman, 2008.
    Sélection Communication-Jeunesse.

AUX ÉDITIONS PORTE-BONHEUR
Série Victor-Emmanuel hors du temps

Tome 1 : *Aller simple pour la Nouvelle-France,* 2007.
Tome 2 : *Chapelière et pirate à la rescousse,* 2007.
Tome 3 : *Un été en Nouvelle-France,* 2007.
Tome 4 : *De la visite de Nouvelle-France,* 2007.
Tome 5 : *Les geôles du temps,* 2008.
Tome 6 : *Périls aux îles du Vent,* 2008.
    Sélection Communication-Jeunesse.
La petite sorcière qui aimait beaucoup les livres (et les bonbons),
    2008. Palmarès livromanie de Communication-Jeunesse 2011.
Les couloirs du temps – Mission terre de feu, roman, 2011.
Cassée, 2010. Prix de création littéraire Ville de Québec 2012.

Lyne Vanier

Le frère de verre

roman

**ÉDITIONS
PIERRE TISSEYRE**
www.tisseyre.ca

155, rue Maurice
Rosemère (Québec) J7A 2S8
Téléphone : 514-335-0777 – Télécopieur : 514-335-6723
Courriel : info@edtisseyre.ca

**Catalogage avant publication
de Bibliothèque et Archives nationales du Québec
et Bibliothèque et Archives Canada**

Vanier, Lyne

      Le frère de verre

      (Conquêtes ; 141. Roman.)
      Pour les jeunes de 14 ans et plus.

      ISBN 978-2-89633-211-3

      I. Titre II. Collection Conquêtes ; 141.

PS8643.A698E23 2011   jC843'.6   C2010-942749-1
PS9643.A698E23 2011

Pour Vincent qui, tout petit,
me demandait comment les gens morts
allaient au cimetière.
Pour ma mère, le courage fait femme.
Et pour mon père,
qui dit toujours la vérité.

« La mort ? Pourvu que je vive jusque-là. »
Jean Paulhan

Chapitre 1

Le frère de verre, c'est moi. Pas Lucas. Et pourtant, pendant des années, mon frère Lucas a été traqué par une leucémie qui l'a grignoté à petit feu. Forcément, il avait quelque chose de fragile. De cassant. Comme le verre, justement. Alors, il aurait fait un bon candidat au titre de frère de verre. Sauf que le verre, ce n'est pas seulement cassant et fragile, c'est transparent aussi. Et pour la transparence, je bats Lucas à plate couture. On a les succès qu'on peut…

J'ai toujours eu l'impression qu'on voyait à travers moi. Que je n'avais pas de substance. Pas de contour. Une forme floue. Comme un mirage montant de l'asphalte par une chaude journée d'été. Bien malgré lui, Lucas prenait toute la place. Même à la fin, quand il disparaissait presque dans les plis de son pyjama. Plus il était léger, plus il pesait lourd. Méchant pied de nez aux lois de monsieur Newton.

Toute ma vie, il n'y en a eu que pour Lucas. Un frère malade, c'est un vrai cancer. Ça se loge dans la tête des autres et ça efface tout le reste. Et quand ça meurt, les choses ne s'arrangent pas. Je m'excuse de dire *ça* en parlant de Lucas. C'est impoli. Mais j'en ai assez d'être poli. Cette nuit, et les suivantes – parce que je ne me fais pas d'illusions, j'en ai pour des heures et des heures à écrire cette histoire –, cette nuit et les suivantes donc, je dirai les choses comme je les pense. Tant pis pour la gentillesse. Et tant pis pour la politesse qui exige qu'on ne rapporte pas tout à soi. Dans ce cahier, je parlerai beaucoup de moi. Il y aura un peu de place pour les autres malgré tout, on ne renie pas son éducation altruiste aussi facilement. Je laisserai donc un peu d'espace à mes parents, à mon grand-père, à Cassandre, à Audrey aussi. Je ferai même de la place à Lucas. Impossible de faire autrement. À ses idées sans-génie aussi… C'est triste, ce qui nous est arrivé, mais on a ri pareil, des fois.

Alors, si j'en reviens à la transparence… C'est quelque chose qui ne devrait pas exister entre des parents et leurs enfants. Mais ça arrive quand même… parfois… et ça fait mal en silence… Normalement, un cœur de parent,

10

c'est spécial. C'est capable d'aimer plusieurs enfants à la fois. On dirait qu'à chaque naissance, la quantité d'amour disponible augmente. C'est un peu comme le soleil qui chauffe tout le monde pareil sur la plage. Mais un enfant malade, ça vous dérègle complètement un cœur de parent. Les autres enfants, les pas malades, ils deviennent des ombres. Un enfant malade, c'est un nuage qui se fiche devant le soleil. Qui se fiche que les autres gèlent. Et on ne peut même pas lui en vouloir, parce qu'il ne le fait pas exprès. Pire encore, on sait que, s'il le pouvait, il changerait tout de suite de place avec un de ceux qui gèlent. Alors, on reste plein de colère sans destinataire autorisé.

Ce n'est pas ma faute si je n'ai pas eu le cancer. Ce n'est pas ma faute si des cellules maboules enragées ont décidé de déclencher une guerre civile dans le sang de Lucas.

«Ce n'est pas ta faute, Théo, ce qui est arrivé à Lucas. Tu n'y es pour rien. Mais croire que tu avais quelque chose à voir dans sa maladie, ça te fait presque du bien, parce que ça te donne l'impression d'avoir un certain pouvoir. Et il arrive qu'on aime mieux penser qu'on a un pouvoir dangereux plutôt que se rendre compte qu'on n'a pas de pouvoir du tout… Ça fait moins peur. »

C'est ma psy qui dit ça. Celle qui m'aide à y voir plus clair. Celle qui m'aide à ne pas me prendre pour un Juif qui a survécu à Auschwitz et qui en meurt de se sentir tellement coupable parce que tant d'autres sont morts, et pas lui, et qu'il ne comprend pas pourquoi. Je ne suis pas Juif. Lucas non plus. Aucun de nous n'a été prisonnier à Auschwitz. Mais ça ne m'empêche pas de me sentir souvent coupable d'être encore en vie.

Certains jours, Lucas avait l'âme poète. Il se comparait aux marins des premiers temps du monde, terrifiés à l'idée d'arriver au bout de la mer et de tomber dans un précipice effroyable.

«Maintenant, on sait que la Terre est ronde et que ça ne risque pas d'arriver, disait-il. On ne craint plus de traverser les mers. Peut-être que c'est la même chose pour la mort… Peut-être que j'ai peur de tomber dans le vide juste parce qu'il y a quelque chose qu'on n'a pas encore compris… Quelque chose qu'on finira par comprendre, un jour, et qui tuera l'angoisse…»

Lucas m'avait dit qu'il m'enverrait un signe, une fois qu'il aurait traversé de l'autre côté des choses. Pour que la peur et l'angoisse arrêtent.

Eh bien, visiblement, il a eu un empêchement ou alors le vide existe pour de vrai. Parce que je n'ai reçu aucun signe. *Niet, nada,* zéro. J'ai pourtant ouvert mes yeux et mes oreilles. J'ai scruté le ciel des nuits entières. Je ne sais pas trop ce que j'y cherchais. Une nouvelle étoile ? Mais le ciel est resté tel quel. J'ai aussi essayé très fort de me souvenir de mes rêves, au cas où mon grand frère s'y manifesterait. Rien. Au début, je prenais ça avec philosophie. Je me disais que Lucas devait peut-être s'habituer à être mort. Même le Christ, un ressuscité célèbre, avait quand même mis trois jours avant de donner signe de vie. Alors, j'ai patienté. Sans résultat. Puis, j'ai tenté de me résigner à ne pas savoir. Pas facile.

Parfois je tendais l'oreille, persuadé que je venais d'entendre la voix de Lucas. Sa façon singulière de mordre dans les consonnes, sa manière bien à lui de glisser sur les voyelles comme s'il les caressait au passage. Sauf que ce n'était jamais que l'écho du souvenir de la voix de Lucas.

Il y a des années maintenant que Lucas est mort. Cinq, pour être précis. Dans une semaine, j'aurai dix-huit ans. Un âge que mon grand frère n'atteindra jamais. Ça fait quand même bizarre d'être plus vieux que son grand frère… J'ignore pour quelle raison, mais ça rend sa mort encore plus définitive. Et toujours aucun signe de lui. Et s'il n'y avait vraiment rien, après la vie ? Le vide se jette en moi quand je pense à ça trop fort. Si on est le soir et que la nuit tombe, j'ai l'impression que c'est ma propre noirceur qui se déverse dans le ciel et qui l'obscurcit. Où est passé Lucas ? Il y a des gens pour me répondre qu'il habite mes souvenirs. Ça lui fait une belle jambe, à Lucas. Je suis sûr qu'il serait ravi de savoir ça… J'ironise, bien entendu. Il ne serait pas ravi du tout. Je parie qu'il me citerait Woody Allen, un cinéaste un peu névrosé ayant déclaré un jour qu'il ne voulait pas atteindre l'immortalité par ses œuvres, mais en ne mourant jamais. J'aime bien Woody Allen ; il ose dire tout haut ce que d'autres pensent tout bas. Du temps où il se préparait à mourir, Lucas collectionnait les citations de ce genre. Ça me faisait souvent grincer des dents. Mais ça semblait lui faire du bien. Franchement, je suis d'accord avec Woody Allen : à quoi ça avancerait Lucas de vivre dans mes souvenirs ? Qu'est-ce qui arrivera quand je serai mort, moi aussi ? Lorsqu'il n'y aura plus personne pour se souvenir de nous ? Où serons-nous passés ? Tout passe, oui. Mais pour aller où ? Je n'y pensais jamais à ça, avant. Lucas, il m'a tué l'innocence.

Il y a déjà des jours où j'ai du mal à me rappeler avec précision comment j'étais à l'époque où Lucas parcourait ses derniers mètres de vie. C'est pour ça que j'ai décidé d'écrire cette histoire, avant que tout s'efface dans les brumes de l'oubli. Parce que quand je mourrai, quand je m'éteindrai, quand je serai fauché par la Faucheuse, qui pourra encore raconter l'histoire de Lucas, et celle de notre grand-père, et celle de Cassandre, et celle d'Audrey, et la mienne ? Hein ? Qui les racontera ? Personne. Elles s'évanouiront avec moi.

Alors, cette nuit, j'écris. Je continuerai demain et après-demain et toutes les nuits de la semaine s'il le faut. Le cégep ne recommence que dans huit jours. Et, comble du luxe, j'ai l'appartement pour moi tout seul jusqu'à dimanche prochain. Sept jours et sept nuits de sainte paix. Il n'y a pas de presse. Quand je serai fatigué, je dormirai. Quand j'aurai faim, je ferai chauffer un des petits plats que ma mère m'a cuisinés. Elle en a bourré le congélateur. Elle était drôle à voir, tantôt, quand elle se préparait à partir pour le chalet de sa copine Anne-Marie.

— Tu es sûr que tu vas être correct, Théo ? Je me sens tellement mal de t'abandonner pendant toute une semaine ! La dernière semaine avant tes dix-huit ans, en plus... Tu es certain que tu ne veux pas venir avec nous ? Anne-Marie serait enchantée de te recevoir ! Il y a des matelas en masse !

— Ben non, maman ! Je suis capable de m'organiser. Le frigo est plein à craquer. Je te parie que je n'aurai même pas besoin d'aller une seule fois à l'épicerie.

— Il n'y a pas que la bouffe dans la vie ! Et si tu t'ennuyais ?

— Maman! ai-je lancé d'un ton de reproche. Comment peux-tu penser que je vais m'ennuyer avec tous les livres que j'ai à lire, tous les DVD que tu m'as donnés et tous les amis que je vais inviter pendant ton absence?

Ma mère m'a jeté un regard méfiant.

— Stop là, Théo. Pas de partys! Tu as promis. Tu peux inviter des amis, mais pas trop à la fois.

— Je disais ça pour rire, maman. Oli et Alex sont partis en voyage avec leurs parents. Oli est à Cuba; Alex est à Sept-Îles, chez ses grands-parents. Ne t'en fais pas. Pas de partys. Je serai sage comme une image.

Je ne lui ai pas mentionné Marilou, une belle fille que j'ai connue dans mon cours de philo pendant la session d'automne. Aussi belle que Li-Ann, mon premier amour. Mais comme je n'avais pas encore trouvé le courage d'inviter Marilou à sortir avec moi, il n'y avait pas grand chance qu'elle vienne à notre appartement dans la prochaine semaine. À moins que je ne corrige la situation en lui écrivant sur Facebook. Inutile de parler de ça à ma mère. Elle aurait pu s'arranger pour reporter son voyage. Par pure curiosité. Elle a tellement hâte que je me fasse une blonde. Elle aurait voulu rester, seulement pour avoir la possibilité de la croiser. Non, c'était mieux de ne parler que d'Oli et d'Alex.

— Justement, si tes deux meilleurs amis sont en dehors de la ville, raison de plus pour que tu m'accompagnes au chalet d'Anne-Marie! Tu vas te tourner les pouces, ici, tout seul.

Il n'était pas question que j'aille m'enfermer avec ma mère et sa bande de copines dans un chalet perdu au fond des bois, à boire du vin chaud et de la tisane, à manger des légumineuses et à faire de la raquette. J'avais un projet personnel à réaliser.

— Maman… On a parlé de ça des millions de fois. Va avec tes amies. Amuse-toi. Et dans une semaine, reviens me souhaiter un joyeux anniversaire. Je vais survivre à ton absence. Promis.

Enfin, elle a rendu les armes et elle est partie. Une fois la porte refermée derrière elle, j'ai eu envie de la verrouiller. Pour être sûr que je serais vraiment tranquille. Mais je me suis retenu. Je ne voulais pas obliger ma mère à cogner à sa propre porte ou à sortir ses clés du fond de ses bagages, si jamais elle avait oublié quelque chose. J'ai attendu un quart d'heure, puis j'ai mis le loquet. Ensuite, je n'ai pas pu m'empêcher de pousser le volume de la musique au fond et de danser comme un malade sur un *mix* techno hallucinant. La voisine du dessous n'a pas apprécié et a frappé dans son plafond, avec un manche à balai probablement. Comme la vraie de vraie sorcière qu'elle est. Elle a donné une dizaine de coups. Juste pour l'embêter, j'ai laissé le morceau se rendre jusqu'à la fin avant de couper le son. Puéril, je sais. Mais madame Gélinas n'est qu'une emmerdeuse. Enfin…

J'ai traversé dans ma chambre et me voilà devant un gros cahier épais aux pages blanches qui n'attendent que mes coups de stylo. Je pourrais écrire à l'ordinateur, mais ça manque de panache, je trouve. Vive les vieilles méthodes. Même si l'épaisseur de mon cahier tout neuf m'angoisse un peu.

Ça m'étonnerait que je manque d'inspiration, vu le sujet, mais qui sait, c'est quand même la première fois que j'entreprends d'écrire mes mémoires. Si jamais ça arrive, je regarderai par la fenêtre de ma chambre. J'admirerai les guirlandes de lumières de Noël que les voisins ont tendues d'un bord à l'autre de la ruelle, comme des cordes à linge pleines de rêves. Les petites ampoules électriques scintillent. On dirait des étoiles colorées. Si je plisse les paupières, je peux avoir l'impression que ce sont des soleils qui brillent à des millions d'années-lumière, peut-être dans une galaxie habitée par Lucas. Au besoin, je suivrai leur trajectoire fictive et j'irai rendre visite à mon grand frère. Je lui demanderai de m'aider à trouver les bons mots. Si ça ne suffit pas, je me laisserai porter par les flocons de neige qu'on nous annonce pour les trois prochains jours. Je m'imaginerai qu'ils me parlent du passé et je transcrirai leurs paroles sur le papier. Mais je suis sûr que je m'inquiète pour rien. Je ne manquerai pas d'inspiration. Ça fait des années que je porte cette histoire en moi. Je l'ai au bord des lèvres et au bout des doigts. Elle attend seulement ma permission pour sortir.

De temps en temps, j'utiliserai les mots dont je me servais à douze ans pour décrire ce qui se passait dans ma vie. Tant pis si ça détonne un peu. Ce sont mes mots, ceux qui me montaient à la tête, droit du cœur. Je ne les renierai pas. J'ai déjà hâte de commencer. Je la sens qui rôde, cette foutue Faucheuse. Elle renifle le plaisir que je vais prendre avec Lucas, Audrey, Cassandre et grand-père. Elle s'apprête à foncer sur moi en vraie casseuse de party. Il faudra un peu de larmes dans mon récit pour la déboussoler. Lui laisser croire que je raconte une histoire triste à en mourir, pour acheter un peu de répit. Je ne me fais pas d'illusions. Elle finira par m'avoir. Mais pas avant que j'aie dit mon dernier mot.

Chapitre 2

Quand j'étais petit, je fréquentais une garderie logée dans un ancien presbytère. De l'autre côté de la rue, il y avait le cimetière paroissial. Cet endroit m'intriguait avec ses monuments de pierre souvent garnis de bouquets de fleurs. Je me rappelle avoir demandé à ma mère à quoi servait ce lieu. Elle m'avait expliqué que c'était là qu'on enterrait les gens morts. Sa réponse m'avait satisfait quelques jours, jusqu'à ce qu'une autre question naisse dans ma tête de petit curieux.

— Est-ce qu'on peut marcher quand on est mort?

— Non, avait répondu ma mère.

Ça m'avait lancé de nouveaux points d'interrogation dans la cervelle.

— Alors, quand je vais être mort, comment je vais faire pour aller au cimetière?

Maman avait réfléchi un moment. Des secondes qui m'avaient paru très longues. J'avais insisté :

— Si je ne peux plus marcher quand je serai mort, comment j'irai au cimetière pour être enterré ?

— On ira te porter, avait finalement dit ma maman en me caressant la joue.

Étrangement, ses paroles m'avaient rassuré. Pas de longs discours. Juste une réponse qui visait droit au cœur de mes soucis : il y aurait quelqu'un pour s'occuper de moi, même quand je serais mort. Brave mère qui avait de bonnes antennes et qui saisissait toujours l'essentiel...

Cette maman-là, je l'avais choisie avant d'être né. À douze ans, je m'en souvenais comme si c'était hier. Maintenant, c'est un peu plus flou, comme un rêve. Toutefois, quand je jouais encore au funambule entre l'enfance et l'adolescence, j'avais cette conviction d'avoir eu mon mot à dire sur ce choix. Je me rappelais avoir été là où l'on est avant d'exister en chair et en os. Je l'avais vue et j'avais déclaré : « C'est elle que je veux ! » D'autres enfants pas encore nés l'ont demandée eux aussi, mais j'avais levé ma main le premier et plus haut que tous les autres. Je l'avais gagnée. Je la voulais parce que je savais déjà que cette maman-là ne mentait jamais. Un jour, j'ai raconté cette séance de sélection à ma mère. Je pense qu'elle a cru que j'avais inventé cette belle histoire pour lui faire plaisir. Elle se trompait. J'avais vraiment ce souvenir.

Mon père, c'est une autre affaire. Je ne me rappelle pas l'avoir choisi. C'est le champion des menteurs. Il veut tellement qu'on l'aime, ça fait qu'il ment tout le temps. Pour se donner le beau rôle. On dirait qu'il pense qu'on ne pourrait pas l'aimer, sinon. Qu'on ne pourrait pas l'apprécier pour ce qu'il est, sans enrobage, avec ses imperfections. Alors, il trafique la réalité, même quand les faits sont contre lui. Comme la fois où il a écrasé mon chat avec sa grosse voiture. J'avais sept ans. Ça faisait seulement deux jours que je l'avais, mon chat. Je ne lui avais même pas encore trouvé de nom. Mais je l'aimais déjà. Je dois tenir ça de mon grand-père ; il adorait les chats, lui aussi.

J'avais choisi mon chaton dans la grange de Suzanne, la sœur de ma mère. Il était tout blanc. Il pleurait quand on est arrivés à la maison. Un chat qui pleure, on dirait juste que ça miaule. Sauf que si on écoute bien, on entend les larmes. J'étais futé, j'avais tout de suite su quoi faire. Je lui avais mis une couverture dans un panier. Dessous, j'avais caché un vieux réveille-matin qui faisait tic tac. Pas les nouveaux électriques qui ne font pas un sacré bruit. Non, un vrai réveille-matin énervant qui fait résonner les secondes. Et c'est stressant. Parce qu'il nous oblige à entendre la vie qui passe et qu'il nous fait penser que chaque seconde qui fuit ne reviendra plus. Et ça fait déjà cinq que j'use à écrire que ça fait cinq que j'use, et si je continue, je vais devenir fou. Alors, je reviens à mon histoire de réveille-matin qui faisait tic tac dans le panier du chat et du bout de couverture que j'avais découpé dans celle de sa maman, dans la grange. Après avoir tamisé les lumières du sous-sol, j'avais placé le chaton dans le panier, avec le bout de couverture qui sentait comme sa mère, et le tic tac qui battait comme le cœur de sa maman et il avait arrêté de pleurer. Il se croyait de retour dans la grange. Avec sa mère, ses frères et ses sœurs. Et il était content.

C'est stupide, un chat. S'il était resté dans la grange, il aurait été promis à une mort certaine. Parce que le mari de la sœur de ma mère trouvait qu'ils avaient assez de chats. Je sais que ce serait plus simple si je disais que *mon oncle* trouvait qu'il avait assez de chats, sauf que je ne peux pas appeler *mon oncle* un *assassineur* de chats, un meurtrier prémédité. Ni *ma tante* une femme qui laisse son mari massacrer des petites bêtes innocentes. Il n'y aura pas de ça dans ma famille tant que je vivrai. Alors, le mari de la sœur de ma mère, il a mis les bébés chats dans un gros sac avec des cailloux et il les a lancés dans le fleuve. Il mériterait de rencontrer le petit Chaperon rouge, ce tueur de chats. On verrait s'il trouverait ça drôle qu'on lui ouvre le ventre, qu'on le remplisse de cailloux et qu'on le laisse couler dans la rivière. Alors, forcément, s'il était resté dans la grange, mon minou aurait bu la tasse comme les autres. En l'adoptant, je lui avais sauvé la vie. Sauf qu'il ne le savait pas. Et s'il avait arrêté de pleurer, dans le panier avec le réveille-matin qui faisait tic tac et la couverture qui sentait sa mère, ce n'était pas parce qu'il était content que je lui aie sauvé la vie. C'était parce qu'il pensait que je l'avais ramené dans la grange avec sa famille de condamnés à mort.

Mais je l'avais sauvé du fleuve pour rien. Il est mort quand même, le chat. Écrasé par l'auto de mon père. Mon menteur de père qui veut qu'on l'aime et qui m'a raconté que le coupable, c'était Manuel, le voisin. J'ai toujours su qu'il me mentait. Il y avait du sang sur la roue arrière de notre grosse voiture. Je l'ai vu en revenant de l'école. Jusqu'à l'année dernière, mon père a toujours affirmé que le responsable, c'était le voisin. Jusqu'à ce qu'il soit victime d'une brusque attaque de sincérité. Pendant tout ce temps, il avait soutenu que le pauvre Manuel, avec son accent mexicain et sa longue moustache, eh bien, que le pauvre Manuel ne l'avait pas fait exprès. Alors, je n'avais même pas le droit d'être fâché. Comme avec Lucas qui se fichait devant le soleil. Pourtant, ça m'aurait fait du bien d'être fâché. C'était comme la fin du monde en dedans de moi. Surtout là où le ventre finit et la cage thoracique commence. Je ne savais pas comment s'appelait cette partie du corps. Je savais juste que c'était là que je sentais un vide tout plein de peine. C'était noir avec des piquants. J'ai lu récemment que ça se nomme le «creux épigastrique». Drôle d'appellation qui ne change rien au mal qui me broyait l'intérieur.

Chapitre 3

À douze ans, j'avais des opinions catégoriques sur une foule de sujets : l'importance de la vérité, la nécessité de respecter la vie, même celle des petits chats, par exemple. Une autre de ces opinions catégoriques concernait la médecine. En effet, à force de fréquenter les salles d'attente des hôpitaux, j'avais entendu des tas de conversations passionnantes. Les malades qui patientaient à mes côtés ne prenaient pas la peine de censurer leurs propos. Ils étaient probablement persuadés qu'un gamin comme moi n'y comprendrait rien. Alors, pendant que mon frère passait de longs moments derrière les portes closes de bureaux qui ne m'inspiraient pas confiance, je faisais semblant de rien et j'écoutais les gens échanger des confidences.

Un jour, j'ai entendu un vieux monsieur tousser et cracher et finir par dire que son docteur l'avait bien averti : fumer donne le cancer. Plus tard, un autre a parlé de son foie si rose à cause de toute la bière qu'il avait bue, et de son médecin qui ne voulait pas le soigner avant d'avoir la preuve qu'il avait arrêté de boire depuis au moins trois mois. Un foie si rose… Je me souviens d'avoir trouvé ça surprenant. La bière, c'est doré d'habitude. D'accord, il y en a des rousses. Mais des bières roses, je n'en connaissais pas. À douze ans, je mélangeais parfois les mots. Ça s'écrit « cirrhose », ai-je appris depuis. Mais moi, j'entendais des couleurs. Aujourd'hui, je trouve ça plutôt poétique. À l'époque, cette incohérence nourrissait ma suspicion à l'égard de la médecine.

Mon frère, il ne fumait pas et ça ne l'a pas empêché d'avoir le cancer. Alors que le vieux Marcel Poliquin, qui habitait au coin de la 2e Avenue et de la 5e Rue et que je croisais souvent en allant à l'école, eh bien, le vieux Poliquin, il devait avoir cent cinquante ans et il fumait et il buvait de la bière du matin au soir. Et il n'avait pas le cancer. Il n'avait pas non plus l'air d'avoir un foie rose du tout. Quoique, pour le foie rose, je ne pouvais pas en être certain. Je n'avais pas des yeux radiographiques, quand même. Malgré cette légère imprécision, je dirais que monsieur Poliquin est la preuve vivante que les docteurs parlent à tort et à travers. Quant à mon frère, il est la preuve morte et enterrée de l'inexactitude déconcertante des théories médicales qui cherchent à mettre le blâme sur le dos des pauvres malades. Monsieur Poliquin fume et boit toujours autant, et il est en parfaite forme. Et vlan ! dans les dents des médecins qui nous gargarisent avec les bonnes habitudes de vie.

À force de réfléchir à la question, j'ai fini par comprendre que les docteurs n'aiment pas les malades qui ne guérissent pas. Ça les fait se sentir idiots. Ils se demandent pourquoi ils ont gaspillé tant d'années à étudier pendant que leurs amis s'amusaient si leurs malades ne veulent même pas guérir. Ils se demandent pourquoi ils passent des nuits blanches à l'hôpital, pourquoi ils ne voient pas leurs enfants, pourquoi leur femme les a quittés, l'année dernière, ou l'autre d'avant, ils ne s'en souviennent plus. Alors, si en plus leurs malades dépérissent au lieu de guérir… C'est la grande dépression.

Sauf qu'ils sont brillants, les docteurs. Ils n'auraient pas été admis à la faculté de médecine, sinon. Ils sont tellement brillants qu'ils réussissent à faire croire à leurs malades qui ne guérissent pas que leur maladie incurable, ils se la sont causée eux-mêmes. Avec leurs cigarettes, avec leur alcool, avec leurs soucis.

Le pauvre malade, il est déjà assommé par la maladie qui lui met du *marshmallow* à la place du cerveau. Il ne peut pas argumenter avec un génie qui lui dit que c'est sa faute. Alors, il culpabilise. Il se décourage. Il meurt plus vite. Et il débarrasse le plancher. Le docteur est bien content de ne plus l'avoir sous les yeux.

C'est pour ça que le Lucas que j'avais dans la tête, j'essayais de l'imaginer guéri. Comme si, grâce à une magie inexplicable, mon frère avait le pouvoir de se mouler à la vision que les autres avaient de lui. Plus les docteurs le décrétaient en danger, plus je m'obligeais à le voir en train de se rétablir. Le Lucas qui campait à l'hôpital ne collaborait pas toujours à mes plans. En fait, il avait plutôt l'air de se croire admis à perpétuité dans un établissement franchement déprimant, même si on avait peint les murs des corridors en jaune vif et qu'on y avait dessiné des arcs-en-ciel. Des fois, j'essayais de le convaincre qu'il était seulement là de passage. Mais il se trouvait toujours une infirmière pour surgir dans la chambre et me dire de partir, me coupant la plaidoirie sous le pied. Et même si elle était habillée de couleurs vives au lieu de l'uniforme blanc traditionnel – parce que le blanc, ça fait peur aux enfants, c'est bien connu –, reste que c'était une infirmière attestée, pleine d'autorité. Pas question de ne pas lui obéir…

— Ton frère est fatigué. Laisse-le se reposer. Tu reviendras demain.

Personne ne comprenait rien à rien. Tous jouaient le jeu de Lucas, qui, lui, faisait semblant de dormir. Les mauvais jours, je me disais que c'était rendu qu'il aimait ça être malade. Les jours de plus grande indulgence, je pensais qu'il avait bien raison de se croire condamné à mort. Avec tous ces tubes qui lui donnaient à manger et à boire par les bras. Et avec tous ces autres tubes qui sortaient d'en bas, de sous les draps, si bien qu'on ne voyait pas exactement d'où ils venaient et c'était correct comme ça. Ce n'est pas parce qu'on est malade qu'on a perdu sa dignité. C'est de mon père. Et même si c'est un menteur qui veut qu'on l'aime, quand il a raison, je l'admets. Les tubes partout, les murs de chambre couleur de vomi dilué dans du lait écrémé, les senteurs de fausses patates pilées en poudre… Comment ne pas se croire malade-foutu-fini-perdu quand on se retrouve dans un endroit pareil? Ce n'est pas un petit Mickey Mouse dessiné sur la porte qui améliore vraiment l'ambiance…

Des fois, je pensais que c'était ma faute si mon frère était tombé malade, que je portais malheur. D'abord, mon bébé chat qui était mort. Ensuite, mon canari. D'un rhume. Crever d'un rhume. On n'a pas idée… Puis, ça avait été l'hécatombe chez mes poissons rouges. Chacun

31

leur tour. J'en étais venu à croire que quelque chose ne tournait pas rond en moi. Une chose contre laquelle j'étais immunisé mais qui se communiquait à ceux que je côtoyais. Je me prenais pour une sorte de super héros maléfique déguisé en garçon bien ordinaire.

Alors, quand mes parents m'ont annoncé que je pourrais peut-être aider mon grand frère, que je pourrais peut-être même lui sauver la vie, c'est sûr que j'ai accepté. Ce n'était pas parce que je le traitais de gros sale et que je crachais dans sa soupe quand il avait le dos tourné que je ne l'aimais pas. Je trouve qu'on avait une bonne relation. Et en général, j'avais une excellente raison de polluer son potage ou de l'insulter : il avait refusé de me laisser regarder la partie de hockey des Canadiens contre les Bruins ; il avait débranché mon iPod avant qu'il ait fini de se recharger pour brancher le sien à la place ; ou une autre infamie du genre. Mais ça ne voulait pas dire que je ne l'aimais pas. C'était mon frère, quoi. Même s'il m'assassinait des yeux, des fois, du fond de son lit d'hôpital. J'avais seulement douze ans, mais je comprenais. Avec mes joues roses et l'odeur du vent qui parfumait mes cheveux, j'étais tellement en vie que ça lui fracassait le cœur. Il était pris au piège de ses cellules maboules enragées et ça l'enrageait noir. Dans ces moments-là, je m'effaçais vite fait.

Lucas souffrait de LLA. Un raccourci que je prends pour ne pas avoir à dire chaque fois « leucémie lymphoblastique aiguë ». Juste à entendre ces trois mots, ou à les écrire, j'en attrape toujours des frissons. Je préfère encore l'attaque de cellules maboules enragées.

Lucas était tombé malade pour la première fois à quatre ans. Il avait failli mourir. On lui avait donné des médicaments si puissants qu'il en avait perdu tous ses cheveux. Pendant un certain temps, quelques années, il avait semblé aller mieux. Ses cheveux avaient repoussé. Mais il avait quand même des tas de traitements et de rendez-vous chez les médecins. D'où ma fréquentation assidue des salles d'attente, puisque ma mère ne pouvait pas tout le temps me faire garder. Le suivi médical était serré et on ne pouvait pas oublier que Lucas portait une bombe en lui. Une bombe que les brillants docteurs espéraient avoir désamorcée... Mais avec les bombes, on ne sait jamais. Et puis, quand mon frère a eu quinze ans, il est retombé gravement malade. L'engin explosif que le mauvais sort lui avait planté dans le corps a repris du service. Dans mes cauchemars de l'époque, je voyais parfois Lucas clignoter vert fluorescent et je l'entendais émettre des tic tac qui n'avaient rien de rassurant.

Les médecins ont augmenté les doses de médicaments de mon grand frère. Il est redevenu chauve. Mais les thérapies n'ont eu aucun effet sur les cellules folles qui avaient recommencé à faire la révolution dans son sang. Les pilules et les injections ont juste retardé un peu l'inévitable. Deux ans plus tard, il était en train de perdre sérieusement la partie. C'est là que je suis entré en scène, comme le Capitaine America de Marvel.

Les docteurs ont dit que Lucas avait une chance de millionnaire de la loterie de m'avoir comme frère, parce que les tests qu'ils avaient faits prouvaient qu'on était 100 % compatibles. C'est sûr qu'ils ne parlaient pas de la compatibilité de nos caractères, mais plutôt de la mystérieuse alchimie de nos sangs. Le sien, plein de cellules vampires qui lui grignotaient la vie comme des goinfres égoïstes. Le mien, rouge foncé, bourré de vitamines et de petites architectes ingénieuses prêtes à lui reconstruire sa machine à produire du bon sang en quelques jours.

Il a fallu qu'on m'admette à l'hôpital pour quarante-huit heures. On m'a anesthésié et, pendant que je dormais, on a aspiré la moelle d'un de mes os. J'avais mal au cœur quand je me suis réveillé. Tellement que j'avais le goût de pleurer. Sauf que tout le monde me traitait en super héros, en bon super héros, pas en malfaisant, et, c'est bien connu, les super héros ne pleurent pas. Même quand on leur coupe un bras et une jambe. Alors, avec ma petite piqûre sur la hanche, j'étais loin du compte. J'ai serré les dents et j'ai attendu que les nausées se décident à me laisser tranquille.

J'ai eu mon heure de gloire. Ça me gêne de dire ça, mais j'avoue en avoir profité. J'ai demandé des glaçons, pour les croquer en attendant d'avoir le droit de boire de l'eau pour vrai. Je me suis plaint d'avoir trop chaud et une infirmière m'a épongé le front avec une débarbouillette fraîche comme une source. Ensuite, j'ai prétendu avoir froid et une autre infirmière m'a enveloppé d'une couverture sortant directement de la sécheuse. Quand je dis que j'en ai profité... Pire encore, pendant quelques heures, j'ai envié mon frère. Il vivait ça tous les jours, lui : des infirmières à ses pieds, des docteurs lui tapotant l'épaule et lui répétant qu'il était un vrai champion, que tout irait bien. Je l'admets, j'aurais voulu être à la place de Lucas.

Tant qu'à passer aux aveux, je reconnais aussi que j'ai eu, pendant quelques instants, l'idée horrible que mes parents m'avaient conçu dans le seul espoir de ce jour où je pourrais fournir les bouts qui manquaient à Lucas, leur premier-né, leur préféré, leur chouchou. Les dates coïncidaient tellement que j'avais les veines gelées quand j'y pensais. Je l'ai déjà dit : Lucas était tombé malade à quatre ans. Je suis né un an plus tard. J'avais beau compter sur mes doigts à l'envers, à l'endroit, j'arrivais toujours au même résultat. Quand je voulais faire pitié, je me lamentais que j'étais juste une usine de pièces de rechange. Mais, au fond de moi, je savais que je me racontais une histoire affreuse. Ma mère, je l'avais choisie. Quand je vivais là où on vit avant d'exister pour de vrai. Et si elle avait été le genre de mère à faire un deuxième enfant pour réparer le premier, jamais je n'aurais jeté un regard sur elle. Je me détestais d'avoir osé douter d'elle.

Après avoir reçu un lot de mes cellules bâtisseuses, il a fallu que Lucas reste un mois à l'hôpital, dans une chambre qui ressemblait à une bulle d'astronaute. Pour lui rendre visite, il fallait pratiquement subir une décontamination et se déguiser en gros poussins un peu ridicules. On nous obligeait à enfiler une jaquette d'hôpital, un pantalon de style pyjama de grand-père, un bonnet, des gants, des couvre-chaussures et un masque. Le tout d'un jaune pâle qui rappelait le duvet d'un poulet tout juste sorti de sa coquille. J'étais content que personne de mon école ne fréquente le service des greffés.

Tout doucement, Lucas s'est mis à aller mieux. Il a eu le droit de retourner dans une chambre normale. Puis, il est revenu à la maison quelques semaines. Des fois, je souriais tout seul en me regardant dans le miroir : j'étais encore plus fort que Capitaine America ! Il pouvait aller se rhabiller, celui-là. J'avais sauvé la vie de mon frère.

On nous avait prévenus que des complications étaient possibles, mais les trois premières semblaient écartées : mes cellules n'avaient pas attaqué des parties vitales de mon frère ; Lucas n'avait pas attrapé d'infection fatale ; et mes petites architectes n'avaient pas fait la grève. Au contraire, elles lui avaient rebâti une usine à bon sang parfaitement fonctionnelle. Restait la rechute… Sauf que personne ne voulait l'envisager. La maladie, ça rend superstitieux. On se disait chacun pour soi que si on ne pensait pas à la rechute, elle n'arriverait pas. On se trompait.

Chapitre 4

J'ai commencé à me douter que quelque chose ne tournait pas rond bien avant que les docteurs s'en aperçoivent de leur côté. Il était exactement vingt heures trente-sept minutes, le trente septembre, six mois après la greffe de Lucas. J'étais sur le point d'entrer dans mon bain et j'ai eu mal à la hanche, là où on avait creusé un petit puits pour fouiller au cœur de mes os. Un minuscule forage qui avait permis de recueillir une substance des milliards de fois plus précieuse que le pétrole ou l'or. En me contorsionnant, j'ai réussi à voir mon dos dans le miroir qui n'arrêtait pas de se couvrir de buée vu que j'aime mes bains très chauds. En surface, rien à signaler. À peine une petite cicatrice blanchie là où l'aiguille avait percé ma chair. C'était à l'intérieur que ça n'allait pas. Ça pulsait.

Ça lancinait. J'ai eu peur qu'on m'ait injecté des cellules détraquées de Lucas. Pour me punir… d'avoir craché dans sa soupe, d'avoir dit que c'était lui qui avait pris le billet de dix dollars dans le portefeuille de papa, d'avoir voulu qu'il meure, des fois, pour que j'arrête d'être transparent.

— Tout est beau, a pourtant déclaré le docteur en regardant mes radiographies passées le soir même.

Chez moi, peut-être. Mais pas chez Lucas. Chez lui, ça se déglinguait à une vitesse folle. Trois jours plus tard, il rentrait à l'hôpital. Les mines sombres des médecins nous assassinaient l'espoir. Dehors, c'était l'automne.

Ça me faisait tout drôle de continuer d'aller à l'école pendant que mon frère se mourait à l'hôpital. C'était bizarre de voir que c'étaient les mêmes nouvelles que d'habitude à la radio, quand je déjeunais le matin, que nulle part on ne mentionnait la tragédie que ma famille était en train de vivre. Ça m'apparaissait irréel d'entendre mes amis parler avec excitation de la prochaine partie de soccer contre nos ennemis de toujours, les grands *Bouledogues* de l'école Saint-Roch. Je l'ai dit à ma mère. Elle a eu un sourire triste, celui qui étire seulement les lèvres sans faire briller les yeux, et elle a déclaré qu'il fallait bien que la vie continue. Pour les autres, s'entend. Parce que pour nous, la vie normale, c'était fichu. J'aurais préféré que ma mère me parle du beau temps qui suit la pluie, de l'espoir qu'il ne faut jamais négliger, du paradis à la fin de nos jours. Sauf que je l'avais justement choisie parce qu'elle ne savait pas mentir.

Ni ma mère ni mon père n'avaient de croyance à laquelle se raccrocher. La mort annoncée de mon frère les horrifiait. Ils avaient, à l'avance, un chagrin accablant. Pour eux, la vie n'était rien d'autre qu'une petite étincelle entre deux trous noirs. Un flash lumineux éphémère dans le néant. Mes parents n'avaient plus la foi. Ils l'avaient perdue. Peut-être le jour où un docteur leur avait appris la terrible maladie de Lucas, quand il avait seulement quatre ans, des cheveux blonds et des yeux d'ange. Ou peut-être l'avaient-ils déjà perdue avant. Ou alors, c'est arrivé plus tard. Je l'ignore. On ne parlait jamais de ça… Et même s'ils auraient bien aimé la retrouver, cette foi perdue, ils n'y arrivaient pas. La foi, c'est une *v'nimeuse,* disait mon grand-père. Une susceptible. On lui tourne le dos un instant et elle ne revient plus jamais. Même si on la supplie à genoux.

À cette époque, je ne savais pas trop quoi penser de ce sujet sérieux. Pour être honnête, aujourd'hui non plus. Mais je me rappelle que parfois, quand tout était tranquille autour de moi, j'avais d'étranges images dans la tête. Des images d'il y avait longtemps. D'avant que je sois né. Comme ce moment où j'avais choisi ma mère. Et je me disais que si je me souvenais de ça, d'avant que je sois officiellement vivant, peut-être que ça signifiait que je serais capable de me souvenir d'après, quand je serais officiellement mort. Et si on se souvient, on existe encore… Tout n'est pas fini… Je me disais qu'on n'était peut-être pas des étincelles entre deux trous noirs, après tout, mais plutôt un arc-en-ciel entre deux éternités. J'essayais de me convaincre que mon frère n'allait peut-être pas mourir, pas tout oublier, pas être mangé par les vers, pas retourner à la terre, pas tomber en poussière, pas s'éteindre. Que peut-être il resterait allumé, dans une autre galaxie. Je me racontais bien des choses… J'étais plein de «peut-être» qui finissaient par me donner mal à la tête…

N'empêche, en général, même si je n'avais pas la foi, j'avais l'espérance. À cause de mes visions d'avant ma naissance. Et ça me consolait un peu.

Mon grand-père disait que mes parents étaient des maudits mécréants d'athées. Dans sa bouche, *maudit* n'était pas un gros mot, mais une vraie de vraie malédiction au sens biblique du terme. Il affirmait qu'ils seraient bien avancés lorsqu'ils brûleraient en enfer pour avoir négligé tous leurs devoirs de chrétiens : ne pas avoir fait baptiser leurs enfants, ne jamais aller à la messe, ne pas payer leur dîme. Mon père lui répondait qu'il ne voulait rien savoir de toute façon d'un dieu totalitaire qui brûle les dissidents en enfer. Mon grand-père criait. Mon père criait plus fort. Ma mère ramassait nos affaires et on s'en allait. On laissait papy tout seul dans son centre d'accueil.

Moi, ces querelles, je m'en contrefichais. J'arrêtais souvent voir papy en revenant de l'école. C'était un petit détour de rien du tout. Et puis, même si je restais trop longtemps au centre d'accueil, et que j'arrivais à la maison en retard pour le souper, personne ne s'en apercevait. Depuis que Lucas était retombé malade, personne ne s'apercevait plus de rien. Tout était tout croche. Des vrais soupers, il n'y en avait plus. On mangeait n'importe quoi. N'importe quand. Chacun de son côté. C'était le festival de la pizza congelée. Je ne pensais jamais qu'un jour j'haïrais ça, la pizza.

Avant d'être en centre d'accueil, mon grand-père vivait tout seul dans sa maison. Tout seul avec ses trente chats. Il ne savait même pas qu'il avait autant de chats. Il ne les nourrissait plus, pas par méchanceté, plutôt par grande distraction, je dirais. Ils étaient redevenus sauvages. De gros chats griffus, même pas beaux, même pas fins, pleins de mottes de poils collés ensemble. Ils mangeaient les oiseaux, je crois. Mon grand-père, je ne sais pas ce qu'il mangeait dans ce temps-là. Peut-être de la pizza congelée, comme nous quelques années plus tard. Ou peut-être des boîtes de Paris-pâté. Ma mère en a jeté toute une cargaison le jour où il a fallu vider la maison de pépé.

À la fin, chez papy, ça sentait tellement le pipi de chat que ça faisait pleurer les yeux et monter le cœur dans la gorge. Il était zinzin depuis longtemps, mon grand-père. Ça avait commencé un peu après le décès de mamie. Au début, il était zinzin doux. On l'avait laissé tranquille. Mais il avait fini par devenir zinzin dangereux. Il oubliait ses casseroles sur la cuisinière allumée. Il laissait ses fenêtres ouvertes en plein hiver et les calorifères à l'eau chaude éclataient. Lorsqu'il s'est mis à négliger le paiement de ses factures, ça s'est encore corsé. Les créanciers l'ont harcelé. N'obtenant pas de résultats, ils se sont tournés vers mes parents. Une fois, un huissier est venu porter un ordre de saisie chez nous. La légendaire goutte qui a fait déborder le vase.

Peu après, mon père a vendu la maison de papy, qui a atterri à l'hospice des vieux. Je trouvais que ce nouvel endroit sentait autant le pipi que l'ancienne maison de mon grand-père.

44

En plus, c'était un lieu déprimant. À tel point que j'en suis venu à croire que c'était fait exprès. Pour que les vieux ne s'accrochent pas trop à la vie. Il y a une longue liste d'attente pour entrer au centre d'accueil. Il avait dû y avoir une épidémie de décrochage la semaine avant que mon pépé y soit admis, parce que l'attente avait été hyper courte dans son cas.

Sur l'étage de mon grand-père, il y avait à cette époque une infirmière moustachue pleine de ressentiment. Elle semblait en vouloir à tout le monde : à ses collègues plus jeunes et plus jolies qui rentraient chez elles retrouver leur mari et leurs enfants ; à ses pensionnaires qui recevaient des visiteurs… Ces visites avaient l'air de la poignarder. Elle paraissait jalouse. Je crois qu'elle en voulait même à ses pensionnaires abandonnés, qui lui faisaient probablement l'effet de miroirs de son propre futur. Quand j'arrêtais voir mon grand-père, elle me lançait des regards assassins et des propos perfides plus inattendus les uns que les autres.

— C'est ton père qui t'envoie ? Il veut être certain que le vieux ne l'oubliera pas sur son testament ?

Comme si c'était impossible que je vienne passer du temps avec mon papy pour le plaisir et comme si mon père était ce genre de calculateur. Menteur pour qu'on l'aime, d'accord, mais pas intrigant pour deux sous. Je la détestais.

Elle a disparu il y a de cela quelques mois. J'espère qu'elle ne s'est pas recyclée en technicienne en garderie. Les dommages que cette mégère pourrait occasionner sont infinis.

J'ai appris dernièrement que mon papy avait fait un genre de pacte avec ma grand-mère. Il craignait la vieillesse démente comme la peste. Il suffisait en effet de se balader un peu dans son arbre généalogique pour se cogner à d'innombrables cas de cerveaux ramollis avant l'heure. Devant cette multiplication de cas pathétiques, alors qu'il avait encore tous ses cheveux bien noirs et son dos droit comme l'Empire State Building, il avait fait promettre à ma grand-mère que jamais au grand jamais elle ne le placerait dans un hospice pour vieux décatis.

— Si tu vois que je deviens zinzin, tu me donnes mon fusil pour que je me tire une balle. Jure-le. Sur l'amour que tu as pour moi.

Mamie avait commencé par refuser tout net. Papy avait tempêté, supplié, boudé, menacé. Il avait même fait ses valises… Jusqu'à ce que ma pauvre grand-mère finisse par promettre, à son corps défendant. Mais elle n'avait jamais eu à s'exécuter. Elle était morte bien avant papy, pied de nez aux statistiques selon lesquelles les femmes s'usent moins vite que les hommes. C'est ainsi que grand-père s'était retrouvé d'office à l'hospice.

Mon papy était une véritable boîte à surprises. Une minute, il était d'une lucidité limpide ; la minute suivante, il me regardait d'un air étonné, avec au fond des yeux l'envie difficile à contenir de me demander qui j'étais. Sauf que c'était un vrai funambule. Il réussissait à rester sur son fil. « Qui es-tu ? »… Trois mots qu'il parvenait à taire. Trois mots qui auraient signé son basculement dans la folie. Mon papy perdait sans doute la mémoire et un peu la tête. Mais sa dignité avait la vie dure. Je parle au passé parce que ces jours-ci, mon grand-père ne prononce plus un mot. Il ne sait même plus attacher les lacets de ses chaussures, ni aller à la toilette tout seul. Ça doit être pour ça que ceux qui sont payés pour prendre soin de lui le laissent en pantoufles toute la journée et lui mettent une couche. Des fois, je me dis que c'est une bonne chose qu'il ne se rende plus compte de rien. Parce que s'il se voyait maintenant, il serait complètement découragé. Il en aurait la dignité toute cabossée. Peut-être qu'il piquerait une colère contre ma grand-mère, oubliant qu'elle est décédée, et qu'il lui lancerait des tas de reproches à la figure, comme quoi elle l'avait abandonné, qu'elle n'avait pas de parole, qu'il n'aurait jamais dû lui faire confiance. Et si, au contraire, il se souvenait de sa mort, peut-être qu'il divorcerait posthume pour bris de contrat.

Mais à l'époque dont je parle ici, quand j'avais douze ans, mon grand-père avait encore une certaine partie de sa tête. Cruel sans le savoir, j'étais content qu'il y ait une autre partie de lui qui perde la mémoire. J'aimais que mon papy oublie que mon frère était malade. J'aimais qu'il ne m'en parle pas. Ce n'est pas très glorieux, je l'admets.

Parce que des fois, je le haïssais, mon frère. Il m'embarrassait avec sa maladie qui ne pouvait pas bien finir. J'aurais voulu qu'il débarrasse le plancher. Là. Tout de suite. Depuis qu'il était retombé malade, mes parents ne s'occupaient que de lui. Je me sentais de plus en plus transparent. Par moments, j'avais hâte que Lucas meure. Je me disais que ma vie à moi pourrait alors peut-être recommencer... Voilà. C'est dit... Je me souviens de la première fois que j'ai laissé cette pensée se déployer dans ma tête. Il n'y avait pas eu de Dieu notre Père fâché du haut des cieux me foudroyant de son sceptre qui lance des éclairs. Il n'y avait rien eu du tout. Une immunité inattendue qui m'avait troublé, comme s'il n'y avait vraiment aucune justice. Surtout pas divine. J'avais eu l'impression de marcher sur un lac pas encore complètement gelé et de sentir la glace craquer et s'enfoncer sous mes pas. L'angoisse...

★

Mon frère tenait souvent des propos que je trouvais bizarres à l'époque. Il affirmait par exemple qu'il ne voulait pas finir comme un film au cinéma avec le générique qui tire en longueur et tout le monde dans la salle qui s'en va n'importe quand, tellement que quand c'est la vraie de vraie fin, il ne reste plus que le placier chargé de balayer le *popcorn* tombé. Et lui, le ramasseur de *popcorn,* il ne compte pas. Parce qu'il s'en fout, du film. C'est juste son travail d'être là. Alors, Lucas expliquait qu'il tenait à tirer sa révérence avec élégance. Dernière scène. Écran noir. Le mot «FIN» écrit en blanc. Les lumières qui se rallument tout d'un coup. Tout le monde pris par surprise, encore assis avec son sac de *popcorn* chiffonné et son verre de coca plein de glaçons fondus. Les yeux des spectateurs encore rougis et pleins de larmes.

Eh bien… J'avais des petites nouvelles pour Lucas : sa fin éclair, il ne semblait pas parti pour l'avoir. Ça faisait des semaines qu'on était coincés devant le générique. Des années que la Terre tournait autour de lui. Des années qu'il était vénéré comme le Roi-Soleil. Lucas aurait voulu partir en héros. Au lieu de ça, il pâlissait. Il s'effilochait, se détricotait maille par maille. Il n'avait même plus de cheveux. Il avait si honte qu'il ne voulait plus voir personne. Et quand on lui rendait visite malgré tout, il faisait souvent semblant de dormir.

Je me rappelle que parfois, au retour d'une visite ratée à Lucas, j'achetais un sac d'arachides au dépanneur et je me rendais au parc Victoria. Je m'assoyais par terre et je nourrissais les écureuils. Ils étaient faciles à contenter. Pendant un moment, je me sentais utile. De temps en temps, le vieux Poliquin aux doigts jaunes et au présumé foie rose venait boire de la bière au parc. Il cachait la bouteille dans un sac de papier brun et buvait au goulot, en catimini. Il devait se trouver malin de réussir à faire ça sous le nez des policiers dont la centrale était juste à côté. Des fois, on parlait un peu tous les deux.

Il savait que Lucas était très malade, mais il ne me posait pas de questions, ce dont je lui étais très reconnaissant. Comme mon grand-père, il me donnait le sentiment d'exister pour moi-même. Je lui racontais l'école et les matchs de soccer. Je lui parlais même de Li-Ann, des fois, sans la nommer, pour ne pas vendre la mèche. Il me racontait la vie qui avait été la sienne et les livres qu'il lisait. Il passait son temps à lire et il semblait très sage, malgré ses mauvaises habitudes de vie qui donneront un jour aux brillants docteurs une belle excuse pour ne pas réussir à le guérir.

Un après-midi, on était assis sur un banc de parc. Il tétait sa bière. Je mangeais les arachides que j'avais prévu donner aux écureuils. Il faisait beau. On aurait juré que l'été était revenu. Je me rappelle avoir demandé à monsieur Poliquin s'il croyait à la vie après la mort. Il avait l'air si vieux, je me disais qu'il avait forcément déjà réfléchi à cette question. Il m'a répondu quelque chose que je n'ai pas compris, sur le coup. J'ai pensé qu'il avait dû boire trop de bières embrouilleuses d'idées avant d'arriver au parc. Je n'ai pas insisté. L'an dernier, j'ai eu un livre à lire pour un cours de français, et là, au milieu d'une page, noir sur blanc, j'ai retrouvé les paroles de monsieur Poliquin. Je me suis souvenu que c'était un ancien prof de secondaire qui noyait sa retraite ennuyeuse dans la bière bon marché. Cette fois, j'ai compris.

Et j'ai souri. De ce sourire triste que je partage avec ma mère, celui qui étire les lèvres sans allumer le regard. « Vous croyez vraiment qu'il existe une vie prochaine après la vie en vigueur ? » demandait Jérôme, l'anti-héros du roman. Ce à quoi l'autre répondait, comme monsieur Poliquin au parc : « Pour la majorité d'entre nous, le problème est que nous sommes trop intelligents pour croire une telle chose, et trop sensibles pour ne pas l'espérer[1]. » Une réponse honnête qui ne résout rien, mais qui fait du bien quand même. À cause de la solidarité humaine. Même si j'aurais préféré une réponse

---

1. Jean-François Beauchemin, *Garage Molinari*, Montréal, Éditions Québec-Amérique, 1999.

plus tranchée, un beau «Oui!» bien sonnant, clair comme de l'eau de roche, un «Oui!» qui aurait retenti comme un canon repoussant les troupes ennemies.

Sincèrement, je ne dirais pas non à un peu de bondieuseries. Même si c'est seulement de la confiture pour faire passer la pilule. Pourquoi est-ce que je n'arrive pas à avoir la foi? Juste une petite foi. Je ne suis pas exigeant. Je ne demande pas celle qui déplace les montagnes. Je les trouve parfaites à leur place, moi, les montagnes. Qu'elles y restent. Je me contenterais d'une petite foi de rien du tout. Celle qui me laisserait croire qu'il y a un autre bord, *une vie prochaine après la vie en vigueur*. Pour que j'arrête d'être obligé de faire semblant que je suis fort, que je n'y crois pas et que ça ne me dérange pas une seconde. C'est en plein mon genre, ça. Prétendre être convaincu qu'il n'y a rien après la mort en espérant secrètement me tromper. Lucas était pareil.

Dans la Bible, on écrit que Dieu a créé l'homme. À mon avis, la Bible se trompe; c'est l'homme qui a créé Dieu. Pour remplir le vide intersidéral, pour se donner une raison, tout simplement. Un autre blasphème épouvantable, dirait mon grand-père s'il avait encore sa tête. Une pensée sacrilège qui ne provoque aucune réaction des cieux. Une preuve de plus que nous ne pouvons compter que sur nous-mêmes.

Chapitre 5

Ça fait déjà plusieurs heures que j'écris. Je n'ai pas dormi de la nuit. C'est génial d'avoir l'appartement juste pour moi. Je me sens comme un vrai écrivain. Un écrivain à succès qui gagne assez d'argent avec ses livres pour payer son loyer. Des fois, je me prends pour un autre… Ma mère me taquine avec mes projets grandioses.

— Attention, Théo! Si tu continues de même, ta tête ne passera plus dans le cadre de porte!

Elle dit ça pour rire. Il n'y a pas grand-chose qui lui fasse plus plaisir que de me voir pelleter des nuages. Je ne sais pas encore exactement quel genre de travail j'ai envie de faire plus tard. Je n'arrête pas de changer d'idée. Mais ma mère est toujours d'accord avec mes choix.

Pour elle, il n'y a rien à mon épreuve. Si elle m'entendait parler de devenir écrivain, elle serait la première à m'encourager.

Dehors, la tempête annoncée bat son plein. Je ne vois même plus l'immeuble d'en face. Le vent souffle très fort. Les petites guirlandes électriques se perdent dans les flocons qui tombent en rangs serrés. Si j'avais besoin de ces lumières de Noël pour m'inspirer, je serais très embêté. Mais ça va. Les idées ne manquent pas.

Certains jours, j'avais envie de tout lâcher. Si ça se trouvait et que mes parents avaient raison, si on était juste une étincelle entre deux trous noirs, je me demandais bien pourquoi je me donnais la peine d'aller à l'école. J'étais parfois pris de grandes angoisses, étouffé sous une avalanche de *peut-être* et de *si* paralysants. Et si le cancer était héréditaire ? Ou contagieux ? Et si mon frère me l'avait refilé ? J'avais beau essayer de me convaincre que Lucas souffrait d'une maladie privée, l'inquiétude me gagnait régulièrement. Rien ne me garantissait que sa LLA n'avait pas des visées extraterritoriales. J'étais peut-être déjà rongé par des cellules qui avaient perdu le nord et qui confondaient mes belles veines en santé avec les rivières pourpres toutes polluées de mon frère. J'en avais peut-être déjà partout. Alors, à quoi bon l'école ?

Pour voir Li-Ann, bien sûr. Mais à part ça, à quoi bon ?

Je me souviens de certaines occasions où j'avais peur que mon frère me touche. Je faisais semblant de rien, mais dès que je le pouvais, je filais au lavabo et je lavais à grande eau la main qu'il avait effleurée. Je frottais tellement fort que même le chirurgien le plus maniaque d'asepsie m'aurait laissé entrer dans sa salle d'op. J'en avais la peau toute rougie. Pas grave. Pas une cellule anarchiste n'avait pu résister à ce récurage dément. Le Purell n'était pas encore très à la mode à l'époque. Et puis, je dois avouer que je faisais davantage confiance aux bonnes vieilles méthodes de l'eau et du savon. Les désinfectants promettent de tuer 99,99 % des germes. Ça en laisse quand même 0,01 %. Ça peut avoir l'air de rien. Mais 0,01 % de milliards de cellules détraquées, c'est trop. Pas de risque à prendre avec ça.

Je me demandais comment Lucas faisait pour vivre avec ce sang empoisonné et ce générique de film qui n'en finissait pas de défiler. Quand j'y pensais trop, je sentais les larmes qui essayaient de m'étrangler. Je tentais de me changer les idées à toute vitesse. Mais elles revenaient aussitôt.

Je crois connaître un des moyens que mon frère avait trouvés pour tenir bon malgré cette épée de Damoclès qui lui pendouillait au-dessus de la tête. Il devait se couper en deux et prétendre que cette chronique d'une mort annoncée ne le regardait pas vraiment. J'en tiens pour exemple cette demande qu'il m'a faite un jour de lui apporter un tout petit livre qu'on avait à la maison : *Mille citations pour briller en société,* un recueil de maximes. Lucas m'a expliqué qu'il voulait se choisir une belle dernière parole, quelque chose qui allait tous nous impressionner. Il m'a dit ça sur le même ton que s'il avait réclamé un album de Tintin pour tromper son ennui entre deux séances de chimiothérapie. J'ai été soufflé par son détachement et je l'ai secrètement admiré. Il me semblait qu'à sa place, j'aurais passé mon temps à pleurer. Avoir une dernière belle parole aurait été le cadet de mes soucis. Mais je n'étais pas Lucas.

C'étaient ses promenades dans Internet qui lui avaient mis cette fantaisie dans la tête. Mon grand frère avait en effet entrepris de vastes recherches spirituelles. J'y reviendrai plus en détail plus tard. Ça en vaut la peine. Pour le moment, je vais me concentrer sur le Bouddha, un grand sage qui avait beaucoup impressionné Lucas. Une des idées bouddhistes qui avaient frappé mon grand frère était celle de l'importance suprême de notre dernière pensée. La toute dernière, celle qu'on a juste avant de mourir. À cause de l'influence qu'elle aura sur notre renaissance suivante. D'après le Bouddha, on a avantage à être animé de pensées dignes d'intérêt, faute de quoi on risque de se réincarner en rat d'égout ou en coquerelle… D'où la requête de Lucas pour notre livre de citations brillantes. Toutefois, mon grand frère était loin d'être enchanté par le reste des idées de Siddhartha Gautama, le nom que portait le Bouddha avant d'être rebaptisé par ses disciples, des années après sa mort.

Entre autres, Lucas n'aimait pas du tout l'idée que la seule certitude éternelle en ce monde est le caractère périssable de toutes choses, et qu'il faut l'accepter. Il le prenait un peu personnel, je dirais, se voyant traité comme un yogourt à la date de péremption très prochaine. Il détestait aussi que les bouddhistes rejettent l'éternité de l'âme. « Tout commence et tout finit », affirment-ils. Lucas trouvait désolant d'apprendre que, selon ces sages, la soif d'exister est source de douleur, que c'est cette soif qui pousse à renaître et qu'il faut au contraire s'en détacher pour atteindre l'éveil et le nirvana. On arrêtait de souffrir seulement quand on parvenait à interrompre le cycle des renaissances. Ce qui lui avait d'abord paru séduisant, cette notion de réincarnation annulant la permanence de la mort, n'était en fait qu'une prison aux yeux des véritables bouddhistes. Mais Lucas s'accordait le privilège de conserver d'une théorie uniquement ce qui faisait son affaire.

Alors, évidemment, je lui avais apporté le livre de citations. Mon frère l'avait caché sous son oreiller et il le feuilletait dès qu'il était seul, à la recherche de la perle rare. Et comme même les longs génériques ont une fin, Lucas ne savait jamais s'il me voyait pour la dernière fois, c'est pour ça qu'il me déclamait toujours une citation avant que je m'en aille. Du coup, j'avais encore plus peur qu'il meure parce que les trois quarts du temps, ses citations étaient idiotes. Un jour, il m'a laissé sur : « Mange un crapaud vivant en te levant le matin et rien de pire ne t'arrivera du reste de la journée. » Franchement… S'il avait fallu que ce soit la dernière chose qu'il me reste de lui.

Le cancer, c'est long, c'est sournois. Quand j'étais seul, quand je me laissais aller à être impoli et à penser ce que je voulais, je me disais qu'il était temps que Lucas se décide. Qu'il meure, ou qu'il guérisse. Je lui donnais encore le choix. Mais le supplice du générique me tuait. Si ça ne se terminait pas bientôt, j'étais sûr que c'était moi qu'on enterrerait. Ma mère n'était pas en meilleur état. Elle avait le blanc des yeux rouge et le dessous noir, et les doigts jaunis d'avoir tenu trop de cigarettes. J'aurais juré qu'elle voulait développer un cancer elle aussi pour mourir avec mon frère et m'abandonner tout nu, tout seul dans la rue, tout seul dans la vie, à attendre mon rendez-vous avec la fichue

Faucheuse. À cette époque, mon père ressemblait à un épouvantail tout décousu, en train de se vider de la paille qui le tient debout. Il avait les joues mangées par la barbe. Un peu plus et on aurait pu le croire déjà mort. Mais sa barbe continuait de pousser et j'avais appris, au cours de recherches morbides, que c'était faux de croire que les ongles, la barbe et les cheveux continuaient de pousser après qu'on est mort. Ce n'est que la peau qui se dessèche et qui se racornit, faisant paraître les ongles et les poils plus longs. Alors, mon père qui avait l'air d'un épouvantail ne devait pas être mort, vu qu'il se rasait encore la plupart des matins. Pas mort, mais pas fort.

Avec ce père et cette mère qui crevaient de chagrin, je n'avais pas l'impression de valoir bien cher. Surtout pas aussi cher que celui qui se mourait dans son petit lit de fer. J'avais envie de me diluer dans le cosmos, de partager un peu de ma peine avec les étoiles. Elles sont des milliards, dit-on. Alors juste un petit milligramme de mon chagrin réparti sur chacune d'elles et j'en aurais eu moins lourd sur les épaules. Mais c'est égoïste, des étoiles. C'est froid. C'est cruel d'indifférence.

Mon frère se débattait dans des sables mouvants et moi, j'étais là, sur le bord, sans bâton assez long pour lui venir en aide. Ce n'était pourtant pas faute d'avoir essayé. J'étais entré à l'hôpital pour lui. On m'avait fait des prises de sang. On avait farfouillé au cœur de mes os pour y prélever du sang riche et épais qui devait ressusciter Lucas. Il faut croire que je n'étais pas Jésus pantoute. Parce que mon cadeau ne l'avait pas ressuscité d'entre les morts. Si ça se trouve, il avait même empiré son cas. Je me sentais plutôt du genre faux messie. Un charlatan. Mon frère avait eu confiance. Il avait cru à la bonne nouvelle. Pendant six mois. Les cellules tueuses avaient seulement battu temporairement en retraite. Elles lui avaient tendu une embuscade. Dans mes mauvais moments, je n'étais pas loin de croire que mes pensées négatives l'avaient empoisonné.

Lucas était soit héroïque, soit inconscient, soit un peu des deux, selon les jours. Des fois, il parlait de sa mort à venir comme d'une partie de pêche, ou comme de quelque chose qui ne le concernait que de loin, comme s'il s'agissait de la mort de quelqu'un d'autre. Il cherchait une dernière parole dans un ridicule recueil de citations débiles. Il n'avait plus d'horizon, mais il faisait comme si ce malheur n'avait rien à voir avec lui. Dans ces moments, j'avais le goût de le pincer. *Hé! Réveille, grand frère!* Mais je n'osais pas. S'il était un vrai héros capable d'affronter la mort les yeux grands ouverts, j'aurais eu l'air d'un idiot. Et s'il était inconscient, s'il flottait dans des brumes inventées, de quel droit est-ce que je lui aurais coupé les ailes?

La plupart du temps, je songeais que mon frère n'était qu'un grand cornichon qui faisait de son mieux pour affronter une Faucheuse à la notion du temps complètement détraquée. Une enragée *dure de comprenure,* aurait dit mon grand-père. Impossible de faire entendre raison à cette terroriste. Pas moyen de négocier. Pourtant, il y a des gens tellement vieux que tous ceux qu'ils connaissaient sont disparus, et qui appellent la mort à grands coups de prières. Elle fait la sourde oreille. Il y en a même qui finissent par prendre les choses en main et qui font le travail à sa place. Ils se tirent une balle, ou ils se tirent en bas d'un pont, ou autre chose. Il existe mille moyens de tirer sa révérence.

Et pendant ce temps-là, ce grand cornichon de Lucas – je dis «cornichon» comme une mère dit «ma puce», avec des sourires dans le cœur –, pendant ce temps-là, donc, ce cornichon de Lucas pleurait les filles qu'il n'embrasserait jamais. Il pleurait les gueules de bois effroyables qu'il n'aurait pas. S'il y a songé, je pense qu'il a même pu pleurer sur ce premier cheveu blanc qu'il n'arracherait jamais avant que sa femme ou ses enfants le voient. Parce que Lucas savait qu'il n'aurait pas de femme. Qu'il n'aurait pas d'enfants, non plus. Il n'en parlait pas. Mais j'étais certain que ça l'enrageait. Je crois qu'il se demandait si ça valait la peine d'être sorti d'un trou noir éternel si c'était pour y retourner presque aussitôt. Dix-sept ans, c'est tellement vite passé… Un éclair…

C'est vrai qu'il y a là-dedans quelque chose de profondément choquant. C'est comme si quelqu'un nous montrait une belle boîte de chocolats, mais nous interdisait d'en prendre et se la gardait juste pour lui. Tant qu'à faire, je soupçonne que, des fois, Lucas aurait préféré ne même pas connaître l'existence du chocolat. Je le comprenais. Je comprenais les athées. Un jour qu'il se sentait poète, et qu'il ne jouait pas à l'inconscient, mon frère m'avait lancé une citation douloureuse. J'ai oublié les mots exacts, mais ça disait qu'il n'aura eu de la vie que son parfum. Il avait prononcé ces mots avec notre triste sourire familial. Ça m'avait foutu les bleus. J'aurais voulu appuyer sur le bouton de marche arrière, revenir à ces instants où Lucas semblait se contreficher de mourir.

Le fait même d'être en vie, cette expérience stupéfiante, incroyable, improbable, liée à une toute petite cellule apparue il y a trois ou quatre milliards d'années, cette chance infinie d'être né, tout cela ne rendait pas sa mort annoncée plus acceptable pour Lucas. Il détestait le caractère éphémère de son passage terrestre. Que cent milliards d'*Homo sapiens* soient morts avant lui, dans les deux cent mille dernières années, lui était absolument égal. Quant à moi, j'avais beau n'avoir que douze ans, je saisissais déjà tout ce qu'il y avait d'unique chez Lucas. Je savais que sa mort prématurée nous causerait une perte inestimable. Il y a des millions de gars de dix-sept ans, mais un seul Lucas.

Mon frère avait lu quelque part que 99 % de toutes les espèces ayant vu le jour depuis l'apparition de la vie sur Terre avaient disparu.

— Alors, qu'est-ce que ça change au fond que je disparaisse ? Pour moi, c'est la fin du monde, mais par rapport à l'ensemble, c'est rien…, disait-il.

Quand Lucas était de cette humeur, je me taisais. Comme un boxeur renonçant à parer les coups qui vont le mettre K.-O., je l'écoutais. Je finissais terrassé par l'insignifiance de ma propre vie, mais aussi par sa beauté. Et ces soirs-là, lorsque je traversais la rue pour rentrer chez moi, je faisais très attention aux autos, imprégné soudain du sentiment de mon immense fragilité et de la fortune infinie qui m'avait permis de voir le jour. Je me disais aussi que j'avais beaucoup de chance que le cancer ne m'ait pas choisi comme victime. Je me sentais terriblement coupable d'oser penser ça. Terriblement puissant aussi de pouvoir marcher et vivre quand tant d'autres mouraient, quand mon propre frère se mourait, tout seul.

Souvent, je me faisais la réflexion que c'était parfait que je sois trop jeune pour avoir une femme et des enfants. Un frère en train de mourir m'aurait gâché le plaisir. Sauf que j'avais tout de même une petite amie et qu'un jour, on allait se marier. Je ne l'avais pas dit à Lucas. Pour ne pas lui faire encore plus de peine.

Elle s'appelait Li-Ann. Elle venait d'un pays où on jetait les bébés filles à la poubelle, ou à l'orphelinat. Si elles atterrissaient dans le second, c'est qu'elles avaient une sacrée chance. Au moins celle d'avoir eu la vie sauve. Li-Ann était belle et mystérieuse comme un papillon rare. Elle avait les cheveux couleur de nuit, étoiles comprises. Ils avaient l'air doux comme une robe que ma mère avait déjà portée à Noël, avant que le cancer recommence à empoisonner sérieusement mon frère et nos vies, quand on était une famille normale.

Je n'ai jamais touché les cheveux de Li-Ann ; mais je me suis imaginé en train de le faire des millions de fois. En classe, cette princesse occupait le pupitre juste devant le mien. Je ne voyais pas le temps passer à regarder le rideau de tissu précieux qui lui tombait sur les épaules et qui cascadait jusqu'au milieu de son dos. Je me promettais qu'un jour, je couperais un bout de mèche sans que ça paraisse. Je l'enrubannerais, puis je le mettrais dans ma boîte à trésors avec mon trèfle à cinq feuilles, mon agate de la Gaspésie et mes dollars des sables des Îles-de-la-Madeleine. Quand je m'ennuierais, j'ouvrirais ma boîte et je passerais un doigt sur les cheveux de Li-Ann. En fermant les yeux, je pourrais prétendre qu'elle était là pour vrai.

Li-Ann, c'était mon amoureuse secrète. Elle ne savait pas que je l'aimais. Pas grave. J'avais assez d'amour pour nous deux. À l'époque, ça me suffisait. Cette merveille aurait pu exiger de moi n'importe quoi et je l'aurais fait sans poser de questions. J'avais même mangé un ver de terre pour m'exercer. J'avais vu ça dans un film, une fois. Une fille gâtée pourrie disait à un garçon que s'il l'aimait, il devait en avaler un pour le prouver. Et il le faisait. Alors, moi aussi. C'était dégueulasse. Mais si on en arrivait là, j'étais prêt.

Je me trouvais mille défaites pour ne pas déclarer mon amour à Li-Ann. Je pense que je préférais profiter de ces instants où tout était encore possible. Le matin, je me levais en me disant : *C'est pour aujourd'hui.* J'avais le cœur qui frissonnait joyeusement et l'âme légère comme une bulle de Seven Up. La journée passait. Je gardais le silence. Je rentrais chez moi avec mon rêve encore intact et je pensais : *Demain… Je lui dirai demain.* Mais je ne faisais rien. J'étirais le plaisir. Je savourais le secret comme si je le partageais avec Li-Ann.

Le silence me semblait chargé de promesses. Je ne voulais pas courir le risque de tout gâcher.

J'étais déjà de ceux qui préfèrent la préparation de la fête à l'événement comme tel. Sur ce point, je n'ai pas changé. La semaine dernière, je suis allé au cinéma pour voir un film dont j'attendais la sortie depuis une éternité. J'ai fait la file longtemps pour acheter mon billet, puis pour le maïs soufflé. J'ai soigneusement choisi mon siège, visionné les bandes annonces des autres longs métrages prochainement à l'affiche. Et là, enfin, le film a commencé. Je suis parti sur-le-champ. Le lendemain, les critiques ont massacré le film. Je m'en fous. Pour moi, ce sera toujours le film auquel j'avais rêvé. Bizarre, je sais.

La plupart du temps, je reste quand même pour assister à toute la projection. Mais cette fois-là, mes attentes étaient si grandes que j'ai préféré éviter la déception. Je ne dois pas être le seul qui pense comme ça, parce qu'un jour, Lucas m'avait lancé cette citation : «Il y a deux choses plus belles que le bonheur : le rêve qu'on en fait et le souvenir qu'on en garde.» Je ne me rappelle plus qui en était l'auteur, mais j'adorerais le rencontrer. Il me semble qu'on aurait des tas de choses à se dire. D'un autre côté, peut-être que c'est mieux que j'en garde le rêve.

★

L'électricité a lâché pendant que je dormais. Le bruit d'une souffleuse à neige vient de me réveiller. Par ma fenêtre, je vois qu'il n'y a plus de lumière nulle part dans la rue. J'ai seulement aperçu les phares arrière de la souffleuse au loin, avant qu'elle tourne le coin et s'engage dans une rue transversale. Les lampadaires sont éteints. Les guirlandes de Noël aussi. Dehors, il n'y a pas un chat. Avec le conducteur de la souffleuse, on pourrait être les derniers survivants d'une catastrophe nucléaire. Je suis content d'avoir décidé d'écrire à la main. J'aurais l'air fin, là, pas d'électricité, avec seulement trois heures d'autonomie sur mon ordinateur. Il aurait fallu que je me grouille ! Et que je choisisse l'essentiel. Alors qu'avec mon papier et mon crayon, c'est le grand luxe. On a un tiroir rempli de bougies dans la cuisine. Et une collection de lampes à l'huile. Je n'ai pas à m'inquiéter.

★

Wow ! Je suis bien installé ! Un chandelier à cinq branches, une lampe Aladin, trois bougeoirs. J'ai toute la lumière qu'il me faut. Je me sens encore plus comme un vrai écrivain. On dirait que je vis dans l'ancien temps et que j'écris dans une tour de mon château. Si ma mère m'entendait, elle me parlerait sûrement de ma grosse tête ! J'espère que l'électricité ne reviendra pas trop vite. Puisque je suis réveillé, je vais reprendre mon récit. Autant profiter du temps où j'ai l'appartement juste pour moi. J'ai toute la vie pour dormir.

Chapitre 6

Pendant quelque temps, un drôle de garçon a partagé la chambre de Lucas. Il arrivait des soins intensifs. Quand je le regardais, je voyais une auréole de héros flotter autour de sa tête enturbannée de pansements. Ce n'est quand même pas tous les jours qu'un authentique rescapé de la mort est disponible pour partager de vive voix ses expériences avec l'au-delà. Les autres jeunes de l'unité de pédiatrie le vénéraient. Ce miraculé s'appelait Philémon. Il doit encore s'appeler comme ça, à moins que la Faucheuse l'ait finalement attrapé.

Ce Philémon miraculé nous a raconté qu'il était arrivé à l'hôpital un mois plus tôt, cassé de partout, après avoir manqué un virage dans la côte Salaberry, une côte terrifiante qu'il descendait en *skateboard,* sans autre protection qu'un jean troué et son chandail d'Iron Maiden.

Les plaies croûtées, les ecchymoses, les bandages et les plâtres qui recouvraient encore un pourcentage substantiel de son corps attestaient de la violence de l'accident. Le récit que Philémon nous a fait de ses blessures était déjà fascinant en soi et nous avons frissonné par procuration, excités d'entendre parler d'os fracturés, de sang coulant à profusion et de chairs arrachées, sans être obligés de subir la douleur atroce qui accompagnait forcément cette belle brochette de traumatismes. Nous étions cinq curieux assis où nous pouvions autour de Philémon, sauf Lucas qui ne se sentait pas très bien ce jour-là et qui était obligé de demeurer allongé. Nous buvions les paroles du casse-cou comme s'il s'agissait d'un alcool interdit. Toutefois, le plus merveilleux dans son histoire, ce n'étaient pas les visions sanguinolentes qu'il faisait naître dans notre esprit. Le plus stupéfiant, c'était le récit incroyable du tunnel et de la lumière blanche qu'il avait vus brièvement avant d'être ressuscité par un ambulancier. À ce point de sa narration, Philémon s'est interrompu pour qu'on puisse bien s'imprégner du sérieux de la situation.

— J'étais mort, les gars. Pas de pouls, pas de respiration. Raide mort.

Avec un synchronisme magnifique, nous avons écarquillé les yeux. Content de son effet, l'animateur de foule a continué :

— Et là, c'était comme si on m'avait coupé en deux : j'avais l'impression de flotter à un mètre au-dessus du sol et je regardais l'ambulancier me faire un massage cardiaque pendant que son collègue me soufflait de l'air dans les poumons avec une espèce de ballon de foot appliqué sur ma bouche. Maintenant que je le raconte, c'est un peu bizarre. Sur le coup, je savais que c'était à moi qu'il faisait ça, mais je ne le sentais pas et ça ne me préoccupait pas du tout.

Nouveau synchronisme de ses auditeurs, cette fois manifesté par un hochement de tête collectif.

— À ce moment-là, tout ce qui m'intéressait, c'était le tunnel. Je me sentais attiré par la lumière qui brillait au bout. J'avais juste envie que l'ambulancier me laisse tranquille, pour que je puisse aller vers elle. Dans la lumière, il y avait comme des ombres qui me faisaient signe de les rejoindre.

— Tu n'avais pas peur ? a demandé Lucas.

— Zéro peur ! C'est fou, hein ?

Peut-être pas fou, mais étonnant, ça c'était sûr.

— Ces ombres, c'étaient des gens que tu connaissais ? a demandé Ludovic, un pauvre garçon atteint d'une maladie de peau qui lui donnait l'air d'avoir été ébouillanté.

— Imagine-toi donc que oui ! Deux d'entre elles se sont approchées et j'ai reconnu ma grand-mère et mon grand-père. Ils m'ont fait de grands sourires et ils avaient l'air contents de ma visite.

William, un jeune trisomique admis pour des problèmes cardiaques, avait un peu de mal à suivre la conversation. Il a posé cette question :

— Ton grand-père et ta grand-mère étaient dans la côte Salaberry ?

Philémon a patiemment expliqué que non, qu'ils étaient morts depuis quelques années et qu'il avait été le premier surpris de les apercevoir dans le tunnel.

William n'a rien répondu. Sa mine perplexe parlait pour lui. Des gens morts dans un tunnel sous la côte Salaberry… Incroyable.

Même nous, les pas trisomiques, on avait du mal à avaler ça.

— Tu leur as parlé ? ai-je demandé.

— Pas eu le temps. Une seconde après leur apparition, top chrono, un tourbillon m'a tiré en arrière. La lumière blanche s'est éloignée à toute vitesse. Puis, j'ai perdu le fil. Je me suis réveillé deux semaines plus tard aux soins intensifs.

— Tu l'as dit aux docteurs ? l'a interrogé Thomas en haletant.

Avec Thomas, on ne pouvait jamais savoir s'il était sous le coup d'une émotion forte qui lui coupait le souffle ou si c'était sa respiration normale. Atteint de fibrose kystique, il semblait toujours revenir d'une escalade en haut de l'Everest. Mais à ce moment précis, avec le tunnel et tout ça, je crois que l'émotion était pour quelque chose dans les efforts que lui coûtait chaque inspiration.

— Dit quoi? a fait Philémon.

— Pour le tunnel, la lumière blanche, tout ça…

— Tu penses bien que oui! J'avais trop hâte de savoir ce qu'ils en penseraient.

— Et alors? a insisté le jeune adolescent.

— Comme dit mon père, j'ai perdu une belle occasion de me taire.

Regard intéressé de l'assemblée.

Philémon a pris une mine dédaigneuse et une voix pointue pour rapporter le verdict des savants :

— Illusion pure et simple, selon eux… Perturbation du cerveau due à un manque d'oxygène. Expérience de mort imminente classique, très impressionnante, mais insignifiante, au fond. Une sorte de crise d'épilepsie.

Ça nous a rabattu l'enthousiasme. Il n'y a pas à revenir là-dessus : les docteurs, ils sont brillants. Tant de mots scientifiques ne peuvent qu'étouffer la satisfaction d'avoir enfin découvert une raison d'espérer. Maudits tueurs d'espoir et de poésie.

— Et toi, qu'est-ce que tu en penses ? s'est enquis Lucas.

— Moi ? a fait Philémon en croisant fièrement ses bras sur son thorax.

Mais il avait oublié qu'il avait un plâtre de l'épaule au poignet droit, alors il s'est quasiment cassé l'autre bras dans le processus. Il a renoncé à la pose théâtrale et a grimacé avant de poursuivre :

— Je crois que j'ai failli mourir et que j'ai vécu une partie du passage vers autre chose. Pour la suite et des précisions sur cette autre chose, il faudra attendre encore. Mais ce que j'en ai vu ne m'a pas fait peur. Au contraire. J'ai trouvé ça intrigant. J'ai presque hâte de me rendre au bout. La prochaine fois.

Expression admirative de tout le groupe, épaté par autant de courage.

La porte de la chambre s'est ouverte. Une infirmière a faufilé sa tête dans l'embrasure.

— Ah ! Te voilà, William le trotteur ! s'est-elle exclamée en s'adressant au jeunot qui essayait toujours de démêler l'histoire du tunnel dans la côte Salaberry. Viens avec moi. Le docteur Roberge t'attend.

Obéissant, le garçon au cœur vieilli avant l'âge, pour cause de multiplication chromosomique fâcheuse, a obtempéré, glissant même sa main dans celle de l'infirmière. Ils étaient à quelques pas dans le corridor, quand on l'a entendu lui résumer l'histoire à sa façon :

— Philémon, il a vu son papy dans le tunnel Salaberry. Sa mamy aussi. Mais ils étaient pris dans un fil. Alors Philémon a dormi pendant deux semaines.

L'infirmière est revenue vers nous.

— Qu'est-ce que c'est, tout ce charabia ? a-t-elle demandé, avant de nous considérer d'un air réprobateur. Pourquoi vous lui racontez des salades, à ce gentil William ? Un tunnel Salaberry, un fil qui fait dormir. Vous voulez lui embrouiller la cervelle ? Ce n'est pas chic de votre part. Allez, rompez les rangs, a-t-elle ajouté, les joues rouges. Ça suffit, les assemblées pour se moquer des plus petits. Chacun dans sa chambre.

Piteux, les deux autres sont sortis. Ludovic est allé porter sous d'autres néons sa peau pleine de cloques et rouge à faire peur ; Thomas avait de toute façon rendez-vous avec l'inhalothérapeute. Comme c'était leur chambre, Philémon et Lucas ont pu rester bien peinards et continuer leur conversation. Quant à moi, il a fallu que je rentre à la maison. J'étais déçu. C'était la première fois que j'entendais parler de ce phénomène de mort imminente et j'avais la curiosité drôlement chatouillée.

J'ai fouillé sur la question dans Internet. Mes lectures et les confidences de Philémon m'ont laissé très perplexe... Pendant quelques instants, j'y croyais dur comme fer, à ce tunnel, et j'arrêtais d'avoir peur de la mort. Puis, les explications scientifiques me coupaient les jambes. Je repensais sans cesse à cette phrase du vieux Poliquin, le prof de français à la retraite avec qui je jasais parfois au parc. Celle qu'il m'avait servie le jour où je lui avais carrément demandé s'il croyait à la vie après la mort. «Pour la majorité d'entre nous, le problème est que nous sommes trop intelligents pour croire une telle chose, et trop sensibles pour ne pas l'espérer.» J'oscillais entre l'intelligence et la sensibilité. «C'est le cœur qui sent Dieu et non la raison.» Ce n'est pas de moi, mais de Blaise Pascal, un autre penseur célèbre cité par mon grand frère. À ce jour, je n'ai toujours pas résolu ce dilemme. Je pense que je n'y arriverai jamais.

Au fond de moi, il y avait des moments où il faisait très noir. Aussi noir que les cheveux de Li-Ann. Mais un noir moins doux. Je songeais qu'il devait aussi faire très noir au fond de mon frère. Je me demandais comment il se débrouillait, la nuit. Moi, quand j'avais peur, c'était encore pire à ce moment-là. Je me mettais à avoir des idées de fou. Par exemple, que la Terre avait explosé pendant mon sommeil et que mon lit flottait dans l'espace et que si je sortais le gros orteil de dessous mes couvertures, je serais aspiré par le vide intersidéral dans une chute qui ne se terminerait jamais.

C'est encore pareil aujourd'hui. Je me réveille régulièrement au milieu d'un cauchemar seulement pour constater avec effroi que je suis paralysé. C'est normal, paraît-il. Ça a à voir avec le sommeil des rêves. De cette manière, on peut rêver qu'on court sans se fatiguer et sans jeter les draps par terre à force de gigoter. Au centre d'accueil de mon grand-père, il y a un vieux monsieur qui a fait la Deuxième Guerre mondiale. Il a le système des rêves tout bousillé et les infirmières sont obligées de l'attacher dans son lit pour la nuit, sinon il se débat tellement contre les Allemands de ses cauchemars qu'il en tombe par terre. À son âge, une telle chute pourrait lui être fatale. Ce serait quand même bête d'avoir survécu aux vrais de vrais nazis et d'être tué par leurs fantômes. Alors, on le sangle bien serré. Même si ça l'enrage. Pour ma part, c'est le contraire : mes cauchemars me tiennent dans leurs filets et j'ai beau me réveiller, ils continuent de me couper les jambes et les bras pendant quelques longues secondes. Dans ces moments-là, je suis complètement démuni.

Lorsque j'avais douze ans et que ça m'arrivait, je me souviens que je voulais ma maman, comme mon petit chat blanc qui voulait sa maman lui aussi et qui a dû se contenter d'un réveille-matin qui faisait tic tac et d'un bout de couverture qui avait l'odeur de sa mère, avant que mon menteur de père l'écrase avec son auto et tente de mettre ça sous le capot du voisin. Je voulais ma mère et, pour une fois, j'aurais accepté qu'elle me conte des menteries, qu'elle me promette que tout irait bien, que Lucas allait guérir, que le sang riche et épais qu'on m'avait pris allait le ressusciter vite fait, que mon frère arrêterait d'être empoisonné, qu'il reviendrait à la maison pour que je puisse recommencer à cracher dans sa soupe et à le traiter de gros sale quand il ne voudrait pas me prêter son cellulaire, qu'il reviendrait prendre possession de sa vie pour que je récupère la mienne et pour que je puisse enfin avouer à Li-Ann que je l'aimais sans que Lucas soit jaloux.

Je m'ennuyais du temps où on avait une vie normale. Un temps où mes parents faisaient parfois des partys à la maison. J'adorais ça. Ma mère nous préparait un souper rapide avant que les invités arrivent. C'était souvent de la pizza surgelée. À cette période de mon existence, c'était mon mets favori. Les amis de mes parents sonnaient à la porte et, peu à peu, la maison se remplissait. Je me faufilais entre les jambes de ce grand monde, j'épiais des conversations auxquelles je ne saisissais pas grand-chose. Je pigeais dans les plats de crous-tilles. Quand mes parents m'avaient finalement attrapé et mis au lit, je luttais contre le sommeil. Je voulais continuer à entendre les voix des invités et leurs rires tonitruants. J'inspirais à pleins poumons l'odeur inhabituelle des cigarettes – ma mère ne fumait pas à l'époque. J'écoutais la musique pop et j'essayais de me figurer mes parents en train de danser un *slow* collés… Ça me faisait rire.

Sauf que j'étais jeune et que le sommeil finissait toujours par me battre à plate couture. La fête se poursuivait sans moi. Mais quelle joie de me lever le lendemain matin et de me rendre dans le salon déserté, sur la pointe des pieds. Il restait toujours quelques bretzels et des arachides rouges sucrées, au fond des bols préparés pour les invités. Que tout soit un peu ramolli ne me dérangeait pas un brin. L'odeur de la cendre refroidie non plus. C'était la vie, un genre de lendemain de Noël, quand on apprécie même le mal de tête d'avoir bu trop de champagne, parce que c'était tellement plaisant, sur le coup… Parfois, Lucas faisait le ménage des fonds de plats avec moi. Parfois non. Surtout s'il avait réussi à veiller plus tard que moi et qu'il dormait à poings fermés. Je ne sais pas ce que je préférais : m'empiffrer avec lui ou en avoir plus pour moi tout seul. Je sais seulement que je donnerais n'importe quoi pour que ce temps insouciant revienne. On a trop souvent tendance à apprécier les choses une fois qu'on les a perdues. Un vrai de vrai travers qui empêche de savourer le présent à sa pleine mesure.

Mon frère, il n'était pas du tout content de mourir et ça crevait les yeux. Pas besoin de microscope de spécialiste pour s'en rendre compte. Il aurait voulu aller encore à la cabane à sucre et avoir mal au cœur d'avoir englouti trop de sirop. Se geler les mains en ski, parce qu'il fait si beau que ça fait oublier le froid, et que les pentes sont trop chouettes et les skieuses trop épatantes et trop drôles à épater. Se geler les mains et ne pas être capable de détacher ses bottes de sur ses skis tout seul, quand il déciderait enfin d'entrer se réchauffer au chalet. Mon frère aurait voulu arriver à l'école tout mouillé encore plein de fois parce qu'un vrai gars, ça ne prend pas de parapluie, même quand il pleut à *sciaux*. Lucas, il aurait encore voulu tant de choses.

La Faucheuse a été vraiment bornée. Au lieu de le faucher lui, à dix-sept ans, elle aurait pu s'occuper de la moitié de l'étage où vivote mon grand-père. Une moitié qui ne demandait pas mieux que de quitter cette vallée de larmes. La mort n'est qu'une sadique. Elle vient chercher ceux qui ne veulent pas d'elle, et les autres, elle les emmerde. Ceux qui l'appellent, la mort les laisse se débrouiller tout seuls. Qu'ils sèchent. Qu'ils se dessèchent sur pied jusqu'à tomber en poussière dans l'indifférence générale. La mort, pour être heureuse, ça lui prend du sang et des sanglots. Entendre rire, ça la rend folle de jalousie. C'était rendu que j'avais presque peur de sourire ; peur de m'amuser ; peur d'attirer l'attention de cette terroriste à la faux.

Ce qui n'était pas du tout le cas de Cassandre, la sœur de mon père. Si je ne l'appelle pas souvent *ma tante*, ça n'a rien à voir avec une raison comme celle qui m'empêche d'appeler *mon oncle* un *assassineur* de chats. Non. Si je ne dis pas souvent *ma tante* en parlant de Cassandre, c'est qu'elle n'a pas du tout le physique de l'emploi. Il faut au moins que j'écrive «jeune tante»… Déjà, c'est un peu plus ressemblant. Parce que Cassandre doit avoir vingt ans de moins que mon père. Sa venue au monde était imprévue et elle était incroyablement heureuse d'avoir déjoué le destin. Elle célébrait chaque jour comme un cadeau.

Quand j'avais douze ans, Cassandre avait les cheveux très courts et très noirs. Ils avaient déjà été rouges. Je crois même qu'elle les avait déjà teints en vert. Mais peut-être que j'ai rêvé. Ils étaient rasés au-dessus de son oreille gauche et le coiffeur avait laissé un motif de salamandre avec des cheveux un peu plus longs. Je n'arrivais pas à en détacher mon regard. Cassandre avait les oreilles percées, quatre fois plutôt qu'une. Le nez, les sourcils et le nombril aussi. Elle s'habillait de cuir, de jean et de couleurs vives. Elle mettait des plumes dans ses trous d'oreilles, des gants de dentelle métallique sur ses mains qui lui faisaient des doigts de dame médiévale. Elle avait une grosse moto et j'adorais entendre le moteur pétarader dans les rues bien avant qu'elle arrive devant notre porte. Parfois, elle me prêtait un casque et m'emmenait faire un tour. J'en attrapais des crampes dans le visage à force de sourire. Je lui demandais de passer par la 2e Avenue, puis d'emprunter un bout du boulevard Benoît-XV. On paradait devant des copains occupés à se lancer un ballon de soccer ou à répéter leurs figures de *skateboard* dans la cour d'école. C'était un petit moment de gloire que je savourais avec gourmandise.

Cassandre était toujours de bonne humeur. Il y a des filles blasées qui ne sourient presque pas. Elles misent sur la rareté du produit pour en augmenter la valeur, supposément. Cassandre, c'était tout le contraire. Elle souriait tout le temps et on en voulait toujours davantage. Et quand elle ne souriait pas, elle riait. C'était une fée qui fumait des cigarettes qui sentaient la mouffette.

Mon père trouvait qu'elle manquait de sérieux.

— Normal, lui répondait-elle en l'embrassant sur le bout du nez. Tu avais tout pris. Quand je suis née, il n'y en avait plus un gramme pour moi.

Cassandre n'avait pas d'amoureux. Elle aimait les filles et elle avait régulièrement de nouvelles flammes. Elle nous aimait aussi très fort, nous, les enfants de son frère. Lorsque Cassandre était là, la mort reculait, comme assommée par tant de vie. Il me semblait que le coca pétillait davantage quand c'était Cassandre qui le versait ; que le chocolat goûtait meilleur quand il venait d'elle ; que l'air était plus léger. En vertu de je ne sais quelle mystérieuse alchimie, la vie était plus vivante quand Cassandre était dans les parages. La mort devait sincèrement la détester, cette fille qui jonglait avec les étoiles.

Cassandre, ça la révoltait de voir mon frère à l'hôpital. Elle l'engueulait, lui disait d'arrêter de faire son cinéma. Elle refusait d'accepter le sort de Lucas. Elle le menaçait, lui prédisait qu'à force de traîner dans les hôpitaux, il finirait par vraiment attraper une maladie.

— Et là, tu seras bien avancé…

De n'importe qui d'autre, ces paroles auraient été cruelles. Venant de Cassandre, elles étaient une déclaration d'amour et d'espoir. La belle rockeuse empruntait le iPod de Lucas, lui téléchargeait la musique de l'heure, lui apportait des magazines branchés où les mannequins masculins avaient le crâne rasé. Elle lui faisait préparer des sushis qu'elle introduisait en douce dans sa chambre et les dégustait avec lui. Elle apportait la vie et le goût de s'y accrocher encore un peu.

Chapitre 7

Ma mère vient de m'appeler sur mon cellulaire. Du fin fond des bois, elle a entendu dire qu'il y avait une incroyable tempête de neige à Québec et que des milliers de foyers manquaient d'électricité.

— Ça va, Théo? À la radio, ils disent que c'est affreux en ville. C'est vrai?

— Affreux? Pas du tout, l'ai-je corrigée. C'est plutôt beau, en fait. Même si c'est vrai qu'il neige à plein ciel.

— Il y a encore du courant, à l'appartement?

Avant de lui répondre, j'ai regardé danser les flammes des bougies et de la lampe à l'huile. Qu'est-ce que je devais lui dire? La vérité? Au risque de voir ma mère rappliquer à Québec dans les prochaines heures? Ou une fable pour la rassurer? J'ai opté pour la fable, quitte à subir les foudres maternelles quand elle apprendrait que je lui avais menti. Parce qu'elle l'apprendrait, j'en étais sûr. Si ce n'était pas par son amie Louise qui vit au rez-de-chaussée, ce serait cette chipie de madame Gélinas qui le lui dirait. En même temps qu'elle se plaindrait de mon boucan, le premier jour.

— Oui, oui, ai-je donc affirmé avec assurance. Ne t'inquiète pas. Tout va bien. Il y a eu une petite panne tout à l'heure, mais là, c'est fini.

— Tant mieux. Ça m'aurait inquiétée de te savoir sans courant. Tu me connais, a-t-elle ajouté avec un petit rire, je serais sortie du bois dans la prochaine heure pour aller te porter secours.

Ouf! J'avais été bien inspiré de lui dorer la pilule. Et puis, je n'étais vraiment pas en danger de mort. En plus des bougies et des lampes à l'huile, nous avions un petit poêle à combustion lente dans le salon et une belle provision de bois de chauffage. Même pas besoin d'avoir fait les scouts pour se débrouiller avec tout ça.

On a parlé encore quelques minutes. Puis, on a raccroché. J'ai pu recommencer à écrire. C'est une vraie drogue, l'écriture. Je ne me doutais pas de ça. Une fois lancé, il faut aller jusqu'au bout.

★

Sur son étage de pédiatrie, Lucas essayait de ne pas trop se lier d'amitié avec les autres, pour cause de certitude de cœur brisé. Il ne réussissait pas toujours. Dans cette colonie de mal-portants, de sincères attachements se créaient parfois. Des garçons et des filles qui ne s'étaient jamais vus avant, qui ne se seraient peut-être jamais regardés si la vie ne les avait pas conduits à l'hôpital, se reconnaissaient tout à coup. Assis dans leurs fauteuils roulants à attendre qu'un préposé les pousse dans l'ascenseur, ils sentaient soudain passer entre eux l'éclair d'une amitié naissante. Et sur cet étage où tant d'espoirs mouraient, une naissance était trop précieuse pour être ignorée. C'est ainsi que Lucas et Philémon étaient devenus copains comme larrons en foire, à parler de tunnels vers l'au-delà et de lumière blanche et de présences réconfortantes.

Jusqu'au jour où avait été admise Audrey, Lucas était parvenu à ne tomber qu'en amitié. Un moindre mal. Les départs lui chiffonnaient un peu le cœur, mais ne l'écrabouillaient pas. Cependant, le lundi où est arrivée cette fée, il n'avait pas pu s'empêcher de tomber amoureux. Même si c'était un amour forcément sans lendemain, une entreprise promise à une faillite catastrophique sans aucune possibilité de redressement miraculeux.

87

Audrey était belle comme un cadeau de Noël, comme ce cadeau si extraordinaire qu'on n'avait même pas osé se dire qu'on aimerait le recevoir. Elle faisait sérieusement compétition à Li-Ann. Heureusement que j'étais foncièrement fidèle, même à mes amours secrètes.

Elle était à l'hôpital en raison d'un mal insolite qui raccourcissait de plus en plus ses nuits. Pour le moment, elle n'avait pas perdu son teint rose. Ses cheveux acajou étaient brillants et ses yeux aussi bleus que l'océan. Mais elle ne perdait rien pour attendre, la pauvre. Son père, sa grand-mère, deux oncles et une tante étaient déjà morts de cette affection transmise de génération en génération : insomnie familiale fatale. Une maladie très rare, incurable, dont les symptômes commençaient habituellement vers cinquante ans. À seize ans, Audrey était la triste exception. On l'avait hospitalisée pour lui faire subir une batterie de tests visant à déceler d'autres causes de son insomnie. Hélas, les analyses génétiques et électroencéphalographiques avaient confirmé le diagnostic initial. Quand j'avais appris l'existence de cette maladie affligeante, j'en avais moi-même un peu perdu le sommeil, par sympathie. Beaucoup plus tard, j'ai su qu'on avait annoncé à Audrey que ce serait fort probablement son dernier Noël. Elle avait enfoui ce verdict tout au fond d'elle, comme un secret enfermé à double tour au creux d'un coffre-fort jeté dans les oubliettes d'un château disparu sous les eaux. J'ai aussi appris qu'elle avait quand même rompu le secret avec une personne. Lucas. Les conséquences de cette confidence dépasseraient l'imagination.

Entre ses examens, Audrey venait passer du temps avec mon frère. Cette belle au bois pas dormant et ce prince pâle comme un vampire avaient senti leur cœur frémir et le sang qui leur restait bouillonner d'amour dès le premier regard. L'insomniaque veillait son chevalier ; les cauchemars ne passaient pas la porte. J'aimais qu'elle soit là, la belle Audrey. J'aimais la douceur dont elle enveloppait Lucas. Pendant qu'elle était avec lui, il me semblait que j'avais un peu plus d'espace pour être moi.

— Sais-tu à quel point tu as de la chance ? m'a lancé mon frère au moment où j'entrais dans sa chambre d'hôpital, un jour de la mi-octobre.

Audrey était avec lui et elle m'a fait un sourire plein de compassion. Manifestement, elle avait une longueur d'avance sur la discussion qui allait suivre et elle me plaignait déjà.

Je dis «sa chambre», en parlant de la chambre de Lucas, même s'il la partageait habituellement avec quelqu'un d'autre. Des «quelqu'un» qui passaient leur temps à changer. Après un séjour dont la durée était variable, ils partaient dans d'autres directions. Parfois vers la sortie, et c'était tant mieux pour eux, même si ça faisait de la peine à mon frère de ne pas suivre le même chemin. Ça avait été le cas de Philémon, l'amateur de *skateboard* extrême au rendez-vous mystérieux avec un tunnel. Il était finalement rentré chez lui avec des béquilles et une ordonnance de Ritalin dont l'objectif était de lui fournir les freins dont la nature l'avait privé.

Mais parfois, au lieu de réintégrer leur domicile, les cochambreurs partaient vers les étages réfrigérés cachés au sous-sol, interdits au public, où on les conservait au frais, mais pas dispos, jusqu'à ce que leur famille ait organisé leur dernier transport vers le cimetière. C'était quand même mieux que de penser qu'on les incinérait sur place et qu'ils se retrouvaient dans cette fumée blanche et épaisse, extrêmement suspecte, que crachaient les cheminées d'hôpitaux. On ne voyait pas de cheminée par la fenêtre de la chambre de Lucas, mais j'en apercevais une chaque fois que je venais lui rendre visite. Cette vision m'emplissait d'une angoisse détestable. Qu'est-ce qu'on pouvait bien brûler dans les entrailles d'un hôpital?

Bon... Je m'égare. Revenons à la mi-octobre. Je franchissais donc à peine le seuil de sa chambre que Lucas me jetait par la tête cette question piégée: «Sais-tu à quel point tu as de la chance?»

J'arrivais de l'école. J'avais marché dans les rues bordées d'arbres illuminés par les couleurs de l'automne. J'avais donné des coups de pied dans des tas de feuilles mortes, les faisant tourbillonner dans le vent. J'en avais probablement une ou deux accrochées dans mes cheveux, en plus de l'odeur du vent et du soleil. Alors oui, je savais que j'avais de la chance. Sauf que ce n'était pas de cette chance-là que parlait mon frère.

Il me désignait son iPad via lequel il se branchait sur la vaste Toile pour y accomplir de mystérieuses recherches.

— Si tu étais une veuve hindoue et moi ton mari décédé, on te brûlerait vivant sur mon bûcher funéraire.

Et c'était reparti. Audrey haussait les épaules et soupirait. Vrai comme je le dis, mon frère, quand il s'envolait dans ses théories morbides, il n'y avait pas plus lugubre. J'en étais réduit à supporter de sinistres discours pleins de noirceur opaque qui ne paraissaient pas pouvoir finir un jour. Ça continuait de me turlupiner même après que j'étais rentré à la maison. Mon frère me mettait des images inquiétantes dans la tête et ses angoisses dans le cœur. Mais je ne lui en voulais pas. À qui d'autre que moi et Audrey aurait-il pu confier tout ça ? À notre père fragile comme un épouvantail dépenaillé ? À notre mère qui courtisait le trépas à coups de cigarettes et qui se desséchait tellement qu'elle n'avait même plus de larmes pour pleurer?

Alors, Lucas pouvait compter sur mon oreille. Ce qui ne m'empêchait pas de vérifier ses dires une fois devant mon propre ordinateur. J'ai appris avec soulagement que cette coutume de brûler la veuve avec son époux était depuis longtemps révolue. Malgré tout, j'en ai fait des cauchemars.

Heureusement, les élucubrations de Lucas n'étaient pas toujours aussi sombres. Il y avait même des moments où on s'amusait franchement pendant nos recherches. On oubliait temporairement que la vraie de vraie mort rôdait, qu'on ne sortirait pas de cette impasse sans pleurs et sans grincements de dents. On s'enfonçait la tête dans le sable, on le savait, mais on faisait comme si on l'ignorait. Ainsi, on a appris des choses étonnantes. Par exemple, que mettre des souris à la diète pouvait prolonger leur vie : trente pour cent moins de calories, quarante pour cent plus de vie. Un bon retour sur l'investissement, nous semblait-il. À la suite de quoi, Lucas a commencé à jeter systématiquement le tiers de la nourriture qu'on lui servait. Jusqu'à ce qu'une infirmière s'aperçoive de son manège, en glisse un mot au docteur, qui en a parlé à la psychologue, qui est venue évaluer ce qui se passait avec cet adolescent qui ne mangeait presque plus. Est-ce que quelque chose le déprimait? Lucas avait levé les yeux au ciel sans daigner lui répondre. La menace d'un nouveau médicament, un antidépresseur cette fois, avait eu raison de cette lubie alimentaire. De toute façon, Lucas avait jugé que la restriction calorique ne donnerait des résultats qu'à long terme, long terme dont il ne disposait malheureusement pas.

Ayant lu que les végétaux ralentissaient la mort cellulaire, mon frère a plutôt changé son fusil d'épaule et exigé plus de légumes verts. Trop content de le voir reprendre espoir, le service de diététique de l'hôpital s'est joyeusement plié à ses caprices. Brocolis, choux de toutes sortes, épinards et autres substances potagères pleines de chlorophylle ont envahi ses assiettes.

Lucas a ensuite découvert que le vin rouge augmentait la longévité des levures, des vers et de certains poissons. Pressentant que les nutritionnistes hospitalières, aussi bien intentionnées soient-elles, ne pousseraient pas la complaisance jusqu'à ajouter du Châteauneuf-du-Pape à son menu, il m'a demandé de lui en apporter une bouteille.

J'en ai volé une dans le bar de notre père et on l'a transvidée dans la carafe en plastique turquoise qui trônait sur la table de chevet de Lucas. On s'est mis à la boire en cachette. Lui dans son petit lit de fer ; moi, sur la chaise couverte de vinyle qui colle dans le dos, mais qui se lave bien, et c'est ça qui compte dans les hôpitaux avec tous les jus de maladie qui suintent de partout et les éclaboussures de microbes et peut-être même de cellules maboules enragées zinzins dangereuses. Quelques minutes plus tard, Audrey est venue nous rejoindre. On a partagé le vin avec elle. Je n'avais pas l'habitude de l'alcool. Lucas et Audrey non plus. Après à peine un verre chacun, nous étions assez pompettes… Alertées par nos éclats de rire, les infirmières ont débarqué en plein milieu de notre party. Elles n'étaient pas contentes du tout. Pour une fois, elles ont mis leur douce sournoiserie de côté, celle qui les faisait sourire et promettre la lune, alors qu'elles avaient envie de pleurer avec les petits chéris que les brillants docteurs ne parvenaient pas à garder du bon bord du miroir. Elles nous ont passé tout un savon… Comme je n'étais plus capable de mettre un pied devant l'autre, il a fallu que mon père vienne me chercher à l'hôpital. Il était furieux. Quant à Audrey, elle avait déjà obtenu son congé pour le lendemain. On l'a laissé dégriser et on lui a montré la sortie. Un autre cas désespéré que les docteurs préféraient ne plus avoir sous les yeux.

Finalement, mon frère l'a eue, sa gueule de bois. Tout le monde a été fâché contre moi. Interdiction de sortie pendant une semaine : en prison dans ma chambre, sauf pour l'école. Je m'en foutais. On avait eu du bon temps. Lucas avait même demandé à Audrey de lui donner un bisou. J'avais pouffé de rire, par gêne probablement, mais j'avais aussi ressenti un petit pincement d'envie quand la belle s'était exécutée. Ce baiser avait mis le feu aux joues de mon grand frère. Ça faisait une éternité que je l'avais vu en vie comme ça. Et puisqu'il ne lui en restait plus pour très longtemps, il me semblait que c'était une très belle manière de passer un mardi après-midi.

Audrey partie chez elle, les communications entre les amoureux se sont temporairement trouvées réduites au téléphone, aux courriels et aux échanges sur Facebook. Entre deux séances de clavardage, mon frère en profitait pour explorer les encyclopédies en ligne à la recherche d'explications sur les multiples religions. Il semblait espérer se trouver une religion d'adoption qui voudrait bien de lui *in extremis* et qui lui donnerait une raison de ne pas se décourager. Alors, entre les « Savais-tu que ? » avec lesquels Lucas saluait mes arrivées et les citations débiles dont il marquait mes départs, mes visites auprès de lui ont rapidement fini par prendre des allures prévisibles. En un sens, c'était rassurant.

— Savais-tu que les musulmans ont un paradis où il y a des jardins parcourus de fleuves, de vignes, et des femmes partout, du même âge que le mort ?

J'ai secoué la tête.

— Tu imagines, Théo ? Si j'avais vécu trop vieux, je me serais retrouvé entouré de vieilles mémés… Alors que là… Trouve-moi vite un imam que je me convertisse tout de suite.

Les bouddhistes et les hindous, on n'en parlait plus depuis que Lucas avait fait la fâcheuse découverte de leur ultime objectif : la libération de l'âme finalement détachée du cycle des renaissances. Ce nirvana désincarné ne lui disait rien du tout. Quant au Dieu des chrétiens, mon frère n'était pas certain d'être à la hauteur de ses exigences et, plutôt que de risquer l'enfer, il préférait continuer de chercher ailleurs. Pendant quelques jours, il a été prodigieusement intéressé par le taoïsme, une religion chinoise interdite là-bas depuis la révolution communiste de 1949. J'ai dû avouer ma totale ignorance à propos de cette religion. Mon frère a volontiers partagé avec moi les informations qu'il avait recueillies sur la Toile. Le taoïsme préconisait la recherche du salut individuel, ce qui plaisait déjà davantage à Lucas que le nirvana des bouddhistes. Pour atteindre l'immortalité, il fallait méditer, faire de la gymnastique, poser de bonnes actions, se conduire selon des principes moraux stricts et avoir un équilibre alimentaire. *Pas tellement original,* m'étais-je dit à l'époque.

— Attends, a déclaré Lucas, qui avait senti mon manque d'enthousiasme. Écoute la suite : les taoïstes croient que l'Univers traverse des cycles d'expansion et de régression. On jurerait qu'ils parlent du big bang et du big crunch ! Des théories super modernes ! Pourtant, cette religion date du sixième siècle avant Jésus-Christ ! Tu vois un peu, Théo ?

Je voyais un peu, en effet. Et je comprenais Lucas de s'emballer. Qui sait, les taoïstes avaient peut-être percé le plus grand des mystères ! Mon frère a poursuivi.

— Ils croient aux ruptures dans le cours du temps. Des ruptures qui permettent de passer d'un cycle à l'autre par une espèce de raccourci, d'aller d'un univers au suivant, de celui qui va vers le chaos à celui qui va vers la régénération. La mort ne serait qu'un tunnel entre deux mondes.

Du coup, j'enviais presque mon frère d'être à la porte de cette découverte.

Depuis quelques mois, je m'interrogeais sur l'Univers, justement. Être le frère d'un ado de dix-sept ans qui vit ses derniers moments, ça vous plonge dans des abîmes de questions sans réponse. M'intéresser à l'Univers et à son évolution était un moyen comme un autre de me changer les idées. Ça ne marchait pas toujours, mais… J'avais lu quelque part que l'Univers était une espèce de gros ballon qui n'arrêtait pas de se gonfler depuis des milliards d'années. Depuis le big bang. Je me demandais ce qu'il y avait dans ce ballon. Et en dehors? Et qu'est-ce qui allait arriver quand il ne pourrait pas se gonfler davantage? Allait-il éclater et se disperser en mille morceaux? Se disperser dans quoi? Allait-il plutôt se ratatiner en se vidant bruyamment comme un ballon de fête qu'on échappe juste avant de faire le nœud? J'en avais vu quelques-uns subir ce sort. Ça tourbillonne dans la pièce avant de s'écraser, le plastique tout plissé et tout collé sur lui-même. Est-ce que c'était ça, le big crunch? Qu'allait-il arriver à mon frère et à toutes les autres personnes décédées, ce jour-là? Avec leur raccourci entre les univers, je trouvais que les taoïstes avaient un certain génie.

Pendant un jour ou deux, Lucas a surfé sur cette fantaisie des univers en expansion et en régression. Il a fini par se concocter une théorie toute personnelle que les taoïstes se seraient probablement empressés de désavouer. Mon frère avançait l'idée qu'une partie de lui-même existait déjà ailleurs, dans une autre dimension, et que le jour de sa mort dans la Voie lactée marquerait le moment de sa réunion à cette autre moitié qui se languissait de lui depuis dix-sept ans. Il transiterait simplement par un tunnel comparable à celui utilisé par les taoïstes depuis quasiment trois mille ans ; tunnel d'ailleurs décrit par Philémon le casse-cou, n'en déplaise aux docteurs et à leurs explications scientifiques briseuses d'espoir. Je trouvais ça complètement farfelu comme hypothèse. Mais ça semblait tant lui faire plaisir que je me taisais. Je pouvais feindre aussi bien qu'une infirmière quand je m'y mettais.

Ce soir-là, rentré à la maison, j'ai poussé l'idée de mon frère un peu plus loin, pour voir. J'étais fatigué ; j'avais les pensées qui s'agitaient dans toutes les directions. Ma tête s'est retrouvée pleine d'images saugrenues, comme celle d'une autre atmosphère où il y avait un soleil bleu et un ciel vert et des gens faits de grappes de bulles orange. Ça m'a fait rigoler d'imaginer mon frère dans un lieu pareil. Puis, j'ai eu de la peine en songeant qu'il ne se reconnaîtrait sans doute pas dans le miroir et qu'il aurait la peur de sa vie. Allez savoir s'il ne mourrait pas d'une crise cardiaque deux secondes après être mort du cancer... Alors, j'ai corrigé le tir et je me suis dit qu'il se reconnaîtrait puisqu'il aurait oublié avoir déjà eu une autre apparence et qu'il se souviendrait seulement d'avoir tout le temps été comme ça. Du coup, je me suis rendu compte qu'en lui faisant oublier son passé, j'étais en train de m'extraire de sa vie, et nos parents aussi, et nos grands-parents, et ses amis, et tout ce qui avait eu de l'importance pour lui. Avoir voulu le tuer une seconde fois, je ne m'y serais pas pris autrement. J'ai conclu que c'était trop compliqué pour moi, ces affaires-là. Je me rappelle m'être donné une tape sur le côté de la tête pour que ces idées de fou s'en aillent au plus vite.

Et puis, cette frénétique période de recherches religieuses de mon frère s'est interrompue. Du jour au lendemain. Peut-être même d'une seconde à l'autre. Quoique, à bien y penser, la veille de cette interruption, Lucas m'avait laissé sur une citation qui aurait dû me mettre la puce à l'oreille : « Dieu est le seul être qui, pour régner, n'ait même pas besoin d'exister. » C'était tiré des journaux intimes de Charles Baudelaire. Un poète que je ne connaissais pas. Je n'étais pas sur place quand le changement d'humeur de Lucas s'était produit. Je suis arrivé plusieurs heures après. Les indices avaient refroidi et les pistes étaient brouillées. Je sais seulement qu'à partir de là, Lucas a renoncé à élucider les grands mystères sur lesquels les philosophes, les saints et les théologiens s'étaient cassé les dents, puis les dentiers, depuis des siècles et des siècles *amen, Inch Allah* et autres salutations protocolaires d'usage. Mon frère avait sans doute été renversé par une foudroyante tempête de modestie. Quoi qu'il en soit, la susceptibilité de la foi, cette

100

vaniteuse qui ne tolère pas qu'on lui tourne le dos une seconde, devait avoir contribué à cette débandade. Parce que sans la foi, les recherches de Lucas n'avaient aucune chance de donner des résultats. La tête ne sert à rien dans la quête d'immortalité. Et quand la foi prend le bord, et qu'il ne reste plus que la tête, on est comme un nonchalant qui n'a pas pris d'assurance et qui se réveille un matin au milieu des décombres calcinés de sa maison. C'est trop tard, il fallait y penser avant…

Avant de clore ce chapitre religieux, Lucas a eu un dernier sursaut. On était un mercredi, je m'en souviens parce que c'était le soir du bingo au centre d'accueil de mon papy et j'y avais passé une petite heure avant de filer vers l'hôpital. Je me rappelle que c'était le premier soir où j'avais le droit de rendre visite à mon frère depuis l'épisode de la bouteille de vin. Lorsque je suis arrivé sur l'étage de pédiatrie, il y avait belle lurette que le souper avait été desservi. Beaucoup de parents étaient là, des mères surtout. J'imagine que plusieurs pères auraient aimé être présents aussi, mais il fallait bien que quelqu'un reste à la maison pour s'occuper des autres enfants. Les autres trans-parents…

Des tout-petits se faisaient bercer par leur *mommy*; des gamins regardaient des émissions de télé collés sur leur maman; des plus vieux jouaient à des jeux de société. C'était étrange. C'était tellement évident que quelque chose d'anormal se passait dans chacune de ces familles. Parce que s'il y a des moments où on s'attend à ce qu'une famille soit chez elle, en pantoufles et en vêtements confortables, c'est bien pendant ces deux ou trois heures qui suivent le souper et qui précèdent le coucher. C'était troublant de les voir à l'hôpital à essayer très fort de prétendre que tout allait pour le mieux, malgré les fauteuils roulants, les tiges chromées soutenant des pochettes de solutés parfois aussi colorés que les barbotines dont j'aimais me régaler l'été, les pansements cachant des plaies que je préférais ne pas imaginer, les attelles qui ressemblaient trop souvent à d'antiques instruments de torture, et autres inventions guérisseuses dont on affublait les jeunes patients.

Mais je m'égare encore. J'en reviens à mon arrivée sur l'étage de pédiatrie, une semaine après mon expulsion pour ivresse dans un lieu public et pour incitation à la débauche. Je suis d'abord tombé sur la chambre vide de mon frère. En soi, c'était déjà quelque chose d'inhabituel. Depuis qu'il avait perdu tous ses cheveux, Lucas détestait se balader devant les autres. Il n'acceptait auprès de lui qu'un nombre limité de personnes : nos parents, Cassandre, quelques jeunes aussi mal foutus que lui admis sur son étage, Audrey et moi. Et ses soignants. Mais eux, il était bien obligé de les laisser entrer. En constatant son absence, je me suis senti mal et j'ai vite parcouru l'étage. Lucas n'était nulle part, ni dans la salle de repos et de musique des grands, ni dans la salle de jeu des petits. Je me suis informé auprès des infirmières du poste de garde. Elles m'ont assuré que mon frère n'avait pas d'examen particulier prévu ce soir-là. Mon cœur s'est encore plus ratatiné. Pendant quelques secondes, j'ai pensé que Lucas s'était jeté par une fenêtre, terrassé par le désespoir. J'ai de nouveau arpenté tout l'étage en jetant des regards inquiets dans les chambres à la recherche d'un carreau cassé. Rien. J'en étais rendu à l'hypothèse de la fugue quand finalement cet idiot de Lucas a débarqué de l'ascenseur dans son fauteuil roulant. Il avait l'air satisfait de celui qui a résolu à son avantage un vieux conflit déplaisant.

— Tu arrives d'où? ai-je demandé, sur le même ton qu'un parent fâché de l'heure de rentrée de son fils.

— De la chapelle, a calmement répondu Lucas.

J'ai écarquillé les yeux de surprise.

— Tu es allé prier? Tu as retrouvé la foi?

J'étais drôlement content pour lui. Il l'avait tant implorée, cette foi susceptible… Eh bien, non. Je faisais fausse route.

— Pas du tout. Je suis juste allé dire à Dieu que je ne lui pardonnais pas de ne pas être pour de vrai. «Si Dieu existe, j'espère qu'il a une bonne excuse», a-t-il ajouté avec un sourire malicieux. C'est de Woody Allen.

J'ai eu peur que ma mâchoire se décroche. Lucas roulait déjà vers sa chambre. Il n'a plus abordé le sujet par la suite. Moi non plus.

Audrey, l'amoureuse insomniaque de mon grand frère, avait sur la question divine une opinion qui lui venait, au moins en partie je crois, d'une très lointaine ancêtre amérindienne qui avait été chamane. La belle au bois pas dormant était convaincue de vivre dans un monde peuplé d'esprits. Elle lisait dans les lignes de la main, elle lisait dans le ciel, elle lisait partout des signes, même dans de minuscules événements de la vie quotidienne. Un jour, elle a persuadé Lucas de se soumettre avec elle à une séance de purification rituelle dont l'objectif était d'extirper de leur corps et de leur âme les miasmes de maladie qui s'accrochaient à eux. C'était deux semaines après son expulsion de l'étage de pédiatrie pour cause de désobéissance aux règles de vie de l'unité. Mais on savait bien que la belle Audrey avait surtout été chassée pour éviter de rendre dépressifs tous les malades de l'étage, incapables d'accepter qu'une si jeune et si jolie fille soit condamnée sans espoir à un trépas à brève échéance. Elle avait aussi été mise à la porte pour que les brillants docteurs n'aient pas sous les yeux tous les jours la preuve que leur science était limitée. Mais évidemment, personne ne donnait ces raisons tout haut ; officiellement, Audrey avait été recalée pour mauvais comportement…

Un autre mardi après-midi – décidément, il se passait des choses passionnantes en ce jour très ordinaire de la semaine –, Audrey est venue à l'hôpital, portant en bandoulière une sacoche de cuir avec de longues franges, décorée de plumes et de petites perles de verre coloré. J'étais en train de jouer à Mastermind avec Lucas. Je pense que c'était une journée pédagogique, ou quelque chose comme ça. Je me faisais battre comme un misérable débutant.

— Où est passé Guillaume ? a fait Audrey en désignant le lit voisin de celui de Lucas, inoccupé.

Guillaume, quatorze ans, ostéosarcome du genou droit : mauvais pronostic, surtout pour un passionné de hockey rêvant de faire la ligue nationale.

— Parti pour la journée. Salle d'op, puis soins intensifs pour vingt-quatre heures, lui a appris mon frère.

La descendante de chamane a essayé de ravaler ses larmes.

— C'est aujourd'hui qu'ils lui coupent la jambe?

Lucas a hoché gravement la tête.

— Quelle merde, quand même.

Minute de silence pendant laquelle nous avons tous essayé de chasser de notre esprit la vision du jeune joueur de hockey, un bout de jambe en moins. Une image déchirante.

Audrey a finalement essuyé ses yeux.

— Bon... En tout cas... Ça nous laisse le champ libre, a-t-elle déclaré avant de fermer la porte et d'en coincer la poignée avec une chaise. Pour être tranquilles, a-t-elle précisé, comme si ce n'était pas assez clair.

Elle a renversé le contenu de sa sacoche sur la table à roulettes, envoyant valser le plateau de Mastermind et les preuves de ma totale incompétence à ce jeu. J'ai failli la remercier. Lucas était frustré.

— Eh! Tu pourrais faire attention! Au prochain coup, je le battais!

Audrey ne s'en était pas laissé imposer.

— Espèce d'andouille. Je t'offre la guérison et toi, tu rouspètes pour un jeu stupide. Tu mériterais que je remballe mes affaires et que je me tire d'ici.

J'ai bien vu que Lucas brûlait d'envie de répliquer que Mastermind n'a rien d'un passe-temps stupide, mais quand il a vu le matériel étalé par Audrey, sa curiosité a été piquée et il s'est retenu.

— Normalement, il faudrait ouvrir la porte et les fenêtres, a-t-elle mentionné en organisant les herbes et autres trucs sortis de sa mallette magique.

Sauf que les fenêtres ne s'ouvraient pas, probablement par mesure de précaution au cas où un désespéré déciderait de fausser compagnie à sa maladie en prenant les grands moyens. Et on ne pouvait pas ouvrir la porte non plus, puisque la chamane héréditaire avait jugé préférable d'en bloquer la poignée, sûrement pour une bonne raison.

— Mais on va s'organiser autrement, a affirmé l'officiante. Bon, je vous explique.

Et Audrey de se lancer dans un exposé dont j'ai retenu que, selon ses ancêtres, la maladie naissait d'une perturbation intérieure, et que l'on pouvait demander aux esprits animant toute chose de nous aider à recouvrer la santé en rééquilibrant le tout. Il s'agissait seulement de connaître la bonne manière de s'adresser à eux.

— Et tes quelques gouttes de sang amérindien suffisent à t'enseigner cette manière ? a lancé Lucas, pas qu'un peu sceptique.

— Nigaud de peu de foi, a rétorqué l'adolescente tout en continuant ses préparatifs.

Elle ne croyait pas si bien dire. La foi...
Cette *v'nimeuse* qui avait pris la poudre
d'escampette depuis une éternité.

Quelques minutes plus tard, elle a versé des
bouts de plantes séchées dans une grosse
coquille de moule et elle y a mis le feu.

— De la sauge, du cèdre et du foin d'odeur,
nous a-t-elle révélé en voyant nos regards
inquisiteurs.

— Du foin d'odeur? C'est quoi?

Audrey a paru irritée par ma question.

— Écoute... J'ai fait de mon mieux, OK?
Du foin d'odeur, je ne connais pas ça plus que
toi. Alors, j'ai pris quelque chose de ressemblant.

J'ai insisté.

— Tu as pris quoi?

Elle s'est dandinée d'une jambe sur l'autre
avant de m'apprendre qu'elle avait fouillé dans
les boîtes de décoration de Noël de sa mère et
qu'elle y avait récolté une petite poignée de la
paille qui servait à remplir la mangeoire où
dormait l'enfant Jésus.

— C'est sûrement un peu magique, ça
aussi, a-t-elle dit pour clore la discussion.

Si elle voulait le croire... Ce n'était pas moi
qui la contredirais. Avec Lucas et ses théories
brumeuses, j'avais l'habitude. L'honnêteté
intellectuelle dont je me gargarisais depuis
toujours, depuis même avant ma naissance,
puisque j'avais choisi ma mère pour son amour

de la vérité, eh bien, cette honnêteté intellectuelle était devenue très accommodante.

La fumée qui s'échappait de la coquille était épaisse. Tenant le réceptacle d'une main et une grande plume de l'autre, Audrey a commencé à tourner sur elle-même avant de s'interrompre brusquement.

— C'est par où, l'est ?

J'ai consulté ma montre, qui est aussi une boussole, et je lui ai indiqué la direction. La belle au bois pas dormant a pivoté dans le bon sens et a envoyé des nuages de fumée vers la Gaspésie. Un quart de tour, et la région de Chaudière-Appalaches a reçu sa petite dose de fumée salvatrice, puis les Laurentides et finalement, le Grand Nord. La chamane s'est approchée de Lucas. Elle m'a fait signe de les rejoindre. La fumée s'élevait du coquillage et nous encerclait. J'ai failli m'étouffer. Lucas a toussé.

— Maintenant, on prie, a déclaré Audrey. On remercie l'Esprit pour la vie qu'il nous a donnée. On lui demande de purifier notre âme et notre corps. D'habitude, c'est le moment où on chasse la fumée par la porte et par les fenêtres pour qu'elle emporte au loin toutes les énergies négatives…

Très intéressant. Malheureusement, comme on n'avait pas pu créer le moindre courant d'air, la fumée en question stagnait à quelques centimètres sous le plafond. Elle a fini par titiller le détecteur de fumée, qui s'est forcément mis à hurler. Espèce de traître faux jeton qui a attiré à nous toute la cavalerie de l'unité de pédiatrie, et même des unités voisines. Audrey a à peine eu le temps d'éteindre le feu de sa coquille et de pousser les cendres dans une jolie boîte de pierre sculptée en forme de tortue. On devait traiter ces cendres magiques avec respect. L'apprentie guérisseuse a réussi à dissimuler le tout au fond de son sac à malice, une seconde avant que l'armée déboule dans la chambre enfumée.

On s'est fait passer tout un savon. Un autre. Je n'ai pas particulièrement envie de le revivre. Alors, vous me pardonnerez de ne pas raconter la suite de cet épisode.

Chapitre 8

Lucas et Audrey n'avaient pas le monopole des idioties. Pendant que mon frère était hospitalisé, je me rappelle avoir soudain décidé d'essayer de mourir, moi aussi. Pas avec les moyens habituels. En bel imbécile qui ne sait pas ce qu'il fait, je voulais tenter de mourir par la seule force de ma volonté. Le chagrin ou le désespoir n'avaient rien à voir dans le processus. C'était plutôt une question de curiosité. Pour savoir ce que ça faisait…

Pendant cinq minutes, je me suis donc concentré au maximum. J'ai tenté d'ordonner à mon cœur d'arrêter de battre. J'ai retenu mon souffle jusqu'à en avoir le tournis. C'est difficile, mourir. Je restais là. Bien en vie. Peut-être parce que je ne voulais pas mourir pour tout le temps… Seulement jusqu'au lendemain matin.

Parce que je voulais encore voir les longs cheveux noirs de Li-Ann assise au bureau juste devant le mien.

Peut-être qu'on meurt seulement quand il n'y a plus rien qu'on veuille encore voir… Je me souviens d'avoir été très troublé par cette pensée. La semaine précédente, un bébé de quelques mois était mort au service de pédiatrie. Il en avait assez vu? À dix mois? D'après les hindous, les êtres qui meurent très jeunes étaient pratiquement arrivés au terme de leur cycle de réincarnations. Ils avaient juste besoin de revenir un tout petit peu sur Terre, le temps d'une étoile filante, avant d'accéder au nirvana. D'accord pour les bébés hindous. Mais les autres, les pas hindous? À douze ans, ce mystère me dépassait. À presque dix-huit, je ne comprends pas plus.

Pendant quelques jours, j'ai réessayé de mourir plusieurs fois par la seule puissance de mon esprit. Après une série d'échecs, j'ai réduit l'intensité de l'exercice d'un cran: au lieu du trépas, je me contenterais d'un petit évanouissement. J'évoquais des images terrifiantes: du sang giclant de mes membres sauvagement amputés par des scies rondes volantes, devenues aussi maboules enragées que les cellules vampires de mon frère. Une espèce de *Décadence 9,* en trois dimensions. J'ai réussi à faire grimper mon rythme cardiaque de quelques battements à la minute. Rien de plus.

J'ai été obligé de renoncer à l'évanouissement sur commande. Dommage. Ça aurait été un moyen génial de contrebalancer la transparence que me faisait subir la maladie fatale de Lucas. Une transparence si totale que personne ne s'en apercevait.

J'écris ça et un souvenir broyeur de cœur me remonte à la tête. Celui d'une étrange manie que mon père avait développée pendant l'hospitalisation de Lucas. Ça lui prenait n'importe quand, mais j'avais tout de même remarqué que c'était plus fréquent le soir, lorsque la noirceur tombait et que les fantômes de la nuit se mettaient à nous rôder autour, nous fichant le cafard.

Mon père descendait au sous-sol et s'installait dans la partie laissée à l'abandon où il s'était bricolé un établi, meuble très à la mode chez les hommes de sa génération. Sur cet établi, il vidait des pots de vis et des pots de clous et des pots d'écrous. Plus il était angoissé, plus il y avait de pots vidés. Une fois toute cette quincaillerie renversée sur l'établi, il mélangeait les pièces des deux mains, se tirait un tabouret, décapsulait une bière et se mettait à trier le fouillis qu'il venait de créer délibérément. Clous d'un pouce dans un pot, clous d'un pouce et demi dans un autre, vis à tête carrée dans un troisième, vis à tête plate dans le quatrième. Les boulons et les écrous égarés exprès retrouvaient leur chemin eux aussi. J'approchais un tabouret à mon tour et je me joignais à mon père.

On ne se parlait pas. Mais on communiquait. Sans mentir. Nos gestes disaient à quel point ça faisait du bien de se concentrer sur des affaires simples et de voir de vrais résultats. Les pots se remplissaient tranquillement ; le désordre diminuait. À chaque dix clous rangés, mon père prenait une gorgée de bière. C'était comme s'il avait un métronome dans le bras droit. Cette drôle d'activité nous faisait un peu oublier Lucas. Parfois, ma mère venait nous rejoindre. Rarement. La maladie de Lucas avait déjà commencé à éloigner mes parents l'un de l'autre. Ils souffraient chacun de leur côté, écorchés, et leurs contacts semblaient leur faire plus de mal que de bien. Mais quand maman descendait avec nous, elle triait en silence, elle aussi. J'imagine la stupéfaction d'un voisin curieux qui nous aurait épiés par une fenêtre de la cave… Quelle occupation bizarre… De quoi se gratter la tête par-dessous la casquette en marmonnant : « Ils sont fous, ces Marcelais ! »

Il y aurait certainement eu des jours où Lucas aurait trié des clous avec nous avec un immense plaisir. Récupérer un peu de pouvoir, ne serait-ce que sur des vis et des boulons, lui aurait fait du bien. Parce que c'était loin d'être rose pour lui. Bien sûr, il y avait des jours où le rire faisait partie de son *kit* de survie. Mais il sombrait parfois dans des abysses de mélancolie. D'autres fois, il bouillait de colère. J'avais avantage à deviner avec justesse l'humeur du moment, faute de quoi je lançais une blague qui tombait à plat, et je passais pour un sans-cœur qui se moquait de son pauvre frère malade. Je ne savais pas toujours sur quel pied danser lorsque je rendais visite à mon frère. En réalité, il n'était pas question de danser à son chevet. L'expression est mal choisie.

D'humeur tantôt cafardeuse, tantôt joviale, Lucas était mon capitaine. J'étais passager sur son navire qui me mènerait vers des horizons remplis de promesses et d'inconnu. Et en tant que passager insouciant, je savourais ma supériorité sur le maître d'équipage. En effet, il avait beau être couvert de galons, il n'en restait pas moins que, toute sa vie, le capitaine ne ferait que mener les autres à leur destin doré. Prisonnier de son navire surchargé, le capitaine passeur ne ferait qu'effleurer l'avenir. Moi, j'y plongerais. Mais à douze ans, cette pensée me plongeait surtout dans un terrible océan de culpabilité. Parce que j'étais immortel, comme tous les jeunes de mon âge. Et comme aurait dû l'être Lucas, n'eût été de cette Faucheuse mal lunée qui l'avait choisi pour cible à un moment de grande myopie et qui refusait désormais de le lâcher, en vieille orgueilleuse qui n'admettrait jamais s'être trompée.

Il y avait des jours où mon frère entrait en grande furie. Il accusait son corps d'avoir fomenté un sinistre coup d'État, d'avoir cessé de le servir loyalement et d'avoir osé lancer une guérilla contre lui. Il se sentait habité par des soldats devenus rebelles, des déserteurs rendus mercenaires à la solde d'il ne savait qui. Des soldats fous aveugles tournés contre leur propre pays. Alors, Lucas voulait se séparer au plus vite de ce corps plein de traîtrise et de mutinerie. S'en détacher. Il refusait de manger. Il refusait la chimio. Son corps s'était révolté? Il voulait faire la grève? Eh bien, tant pis pour lui. On verrait bien qui était le vrai patron. Mon frère déclarait le lock-out. Tuerait bien qui tuerait le premier. Ça durait quelques jours tout au plus. L'instinct de survie reprenait le dessus, j'imagine.

Plus mon frère se rapprochait de la mort, plus il y avait de la sournoiserie dans l'air. Quand on leur posait des questions, les docteurs avaient des réponses marécageuses et dans leur prunelle brillait le désir évident de nous voir nous y embourber. De leur côté, les sourires des infirmières sonnaient creux comme les ventres gonflés de vide des Africains en train de mourir de faim à des milliers de kilomètres, si loin que ce n'était peut-être même pas vrai. Peut-être arrangé avec le gars des vues pour qu'on envoie de l'argent qui s'arrêterait dans les poches d'un gros président africain pour qu'il se paie de beaux habits et des souliers chics pour sa femme légitime et une villa au bord de la mer pour son illégitime. Mensonges. Sournoiseries.

À l'hôpital, on sait que la sournoiserie s'est installée dès qu'on n'oblige plus le patient à finir ses choux de Bruxelles et qu'on lui sert quand même les deux parts de dessert qu'il réclame. Lorsque c'est arrivé à Lucas, j'ai senti mon sang riche et épais se figer dans mes veines. La fin était proche. Plus personne ne faisait allusion à la nécessité de renflouer ses stocks de vitamines, sous-entendant ainsi que les maigres provisions dont il disposait encore suffiraient à couvrir la faible distance qu'il lui restait à parcourir. Pas besoin d'investir pour l'avenir, pas de vieillesse dorée en vue dans la lorgnette …

Le lendemain de l'épisode des choux de Bruxelles, je suis arrivé à l'école complètement défait. Pendant la récréation, quelques copains m'ont entouré et j'ai craqué sous la pression. Je n'ai pas pleuré, en digne frère de Lucas qui ne prenait jamais de parapluie, même quand il pleuvait des cordes, mais j'ai révélé que mon grand frère avait le cancer, qu'il était à l'hôpital depuis des semaines et qu'il n'allait pas bien du tout. Jusque-là, j'avais réussi à garder le secret sur cette tragédie. Je pense que j'aimais bien qu'il existe un endroit où j'étais normal, pas dans l'ombre d'un héros se mourant d'une noble maladie. Mais là, c'était trop dur de rester coupé en deux…

Une fille m'a demandé si Lucas avait perdu ses cheveux, comme les enfants qu'on voyait dans les pubs du défi *Têtes rasées*. J'ai acquiescé. J'ai précisé que c'était l'un des aspects de sa maladie qui dérangeaient le plus mon frère. Il y avait même des jours où ça paraissait encore pire, pour lui, que son rendez-vous avec la mort, ai-je ajouté. En marge du petit groupe qui compatissait à ma triste histoire, il y avait Li-Ann. Elle se taisait tout en entortillant une longue mèche de ses cheveux autour de son index. Si j'avais pu apercevoir son air à la fois rêveur et concentré, je me serais inquiété et j'aurais peut-être pu empêcher le drame qui s'est produit par la suite. Malheureusement, je n'y ai pas prêté suffisamment attention…

Le lendemain, j'ai eu un violent choc nerveux en m'assoyant à mon pupitre. J'étais arrivé à l'école avec la cloche et tous les élèves étaient déjà à leur bureau quand je suis entré par la porte située à l'arrière du local. Devant moi, au lieu de Li-Ann à la chevelure digne de Rapunzel, il y avait une fille aux cheveux noirs coupés très courts. On voyait ses oreilles. Elle était vêtue d'un T-shirt rose pareil à celui que portait Li-Ann à l'occasion. Un T-shirt qui n'avait rien de spécial ; des dizaines d'autres filles en avaient des semblables, ai-je songé dans une tentative désespérée de nier la réalité. En bien moins de temps qu'il ne faut pour l'écrire, un tas de pensées m'ont traversé l'esprit : il y avait une nouvelle élève dans la classe et elle s'était malencontreusement assise à la place de Li-Ann ; ou alors, je faisais un cauchemar, et ma belle princesse des mille et une nuits avait croisé la route d'une cruelle sorcière qui lui avait dérobé ses longues mèches d'ébène en échange de je ne sais quelle promesse mensongère ; ou bien, je rêvais depuis le début de l'année scolaire et il n'y avait jamais eu de Li-Ann à la chevelure de satin devant moi. Toutes ces réponses étaient mauvaises, comme j'ai pu le constater dans la seconde ayant suivi cette folle série d'hypothèses.

— Tiens, a dit Li-Ann en se tournant vers moi et en me tendant une boîte attachée d'un large ruban vert. C'est pour toi.

— Pour moi ? ai-je bredouillé.

— Pour ton frère, en fait, a précisé la nouvelle Li-Ann à la coupe au carré.

— Pour mon frère ?

Ma copine a souri. Elle aurait pu me traiter de perroquet, mais elle s'est retenue. Li-Ann, c'est une gentille.

— Il paraît qu'il y a des gens qui savent fabriquer de magnifiques perruques, a-t-elle précisé. Tu leur apporteras mes cheveux. Ils s'en serviront pour en faire une pour ton frère.

J'ai eu le souffle coupé. Heureusement, parce que j'allais lâcher la pire stupidité du monde. Sur le coup, j'avais eu envie de lancer à Li-Ann que son sacrifice était ridicule puisque quand mon frère avait des cheveux, ils étaient blonds. Pas noirs comme les siens.

J'avais les larmes aux yeux. Li-Ann a sans doute pensé que j'étais ému par sa générosité. Elle avait tout faux. En réalité, j'avais de la peine parce que je me sentais comme si elle avait divorcé d'avec moi dans mon dos pour marier Lucas à la place. *La belle affaire,* me suis-je aussitôt dit… *Li-Ann ne sait même pas que je l'ai épousée en secret dans ma tête. Alors, on ne peut pas être divorcés.* En tout cas, c'est ce que j'ai essayé de me faire accroire pour me consoler. N'empêche, j'étais furieux. Furieux contre Li-Ann qui faisait des cadeaux à Lucas. Furieux contre mon frère qui m'avait volé le rideau couleur d'ébène de mon amoureuse. Et encore une fois, je ne pouvais pas être fâché contre Lucas. Il n'avait rien demandé. Ni d'être malade ni que Li-Ann sacrifie ses beaux cheveux pour lui. La colère me bouillonnait le dedans. Les jours qui ont suivi, je me suis mis à avoir des boutons.

Il a bien fallu que je prenne cette boîte. Sur le chemin du rètour de l'école, je la transportais du bout des doigts comme si elle recelait le cœur sanglant de ma bien-aimée. J'ai avisé un conteneur à déchets et j'y ai lancé le cadeau empoisonné de Li-Ann. Je n'ai même pas pensé à y prélever un bout de mèche avant de tout balancer au milieu des sacs puants et en partie éventrés. De toute façon, ces cheveux, ce n'était pas à moi que Li-Ann les avait donnés. En prendre aurait été du vol. Je me sentais déjà assez coupable comme ça. Pas besoin d'en rajouter.

Au lieu de rentrer à la maison, je me suis arrêté au centre d'accueil de papy. L'infirmière moustachue de l'hospice a semblé jongler un instant avec l'idée de me refuser l'accès à l'étage de mon grand-père, pour cause d'heures de visite dépassées. Je ne lui ai pas laissé le temps d'articuler un son et j'ai sauté dans l'ascenseur dont les portes venaient de s'ouvrir. Papy était dans un bon jour. Assez pour qu'on joue aux cartes. Pas un jeu compliqué : la bataille. Les hoquets de sa mémoire ne l'empêchaient pas de savoir qu'un dix de trèfle valait plus cher qu'un deux de pique. On s'est bien amusés. On n'a pas parlé de Lucas. Puis, l'infirmière moustachue est apparue et a ordonné au pépé de se mettre au lit. Oui, oui, c'est comme ça qu'elle l'a dit :

— Allez, le pépé, c'est l'heure du dodo.

J'avais l'impression qu'elle parlait à un bébé attardé mental. J'ai eu envie de la mordre. Il n'était pas vingt heures. Mon grand-père a protesté un peu, pour la forme. Mais il bâillait à s'en décrocher la mâchoire. Je lui ai plaqué un bisou sur le front et je suis parti.

Après le centre d'accueil pas accueillant pour deux sous, je me suis arrêté chez monsieur Poliquin. Il a eu l'air ravi de me voir débouler chez lui. Il m'a versé un verre de racinette. Il a continué sa bière. On a regardé un reportage sur les lions d'Afrique. Pas terrible. Pourtant, ça paraissait si normal comme soirée, nous deux assis sur un sofa un peu déglingué, que j'en garde un souvenir attendri. Lui non plus ne m'a pas parlé de Lucas. Lorsque je suis rentré à la maison, toutes les lumières étaient éteintes. J'ai d'abord pensé que mes parents s'étaient couchés sans m'attendre. Autant d'indifférence m'a fait mal. Ensuite, je me suis souvenu que c'était le soir de leur groupe de soutien pour parents d'enfants malades. J'ai verrouillé la porte. Je me suis brossé les dents. Je me suis glissé dans mon lit. Tout seul. Comme un grand.

Chapitre 9

C'est déjà vendredi soir. L'électricité est revenue depuis longtemps. Mais, pour le plaisir, j'ai continué de m'éclairer à la bougie. Je joue à fond le rôle de l'écrivain romantique retranché dans un vieux château en ruine.

Tout à l'heure, j'ai quand même allumé mon ordi et je suis allé prendre des nouvelles du reste du monde. Oli a mis des photos de son voyage sur Facebook. Il est encore à Cuba pour huit jours. Il a l'air de bien s'amuser. Il est allé à la pêche en haute mer et il a pris un gros *bonefish*. Je ne connais pas le nom de ce poisson en français. Oli non plus. Il faut que je le croie sur parole, pour la grosseur de la prise, parce que sur la photo, il n'y a que le squelette du *bonefish* avec quelques lambeaux de chair. D'après le guide d'Oli, c'est probablement un barracuda qui l'a dévoré pendant que mon ami rentrait sa ligne. Oli est pas mal drôle à voir avec son fantôme de poisson qui pendouille au bout de sa canne à pêche. Il a un sourire incrédule, comme s'il pensait que ses yeux lui jouaient un tour. J'ai hâte qu'il me raconte ça en vrai.

Quant à Alex, il m'a écrit qu'il faisait de la motoneige tous les jours avec son cousin, qu'ils sont restés pris dans un refuge toute une nuit parce que la courroie de sa motoneige avait cassé et qu'il ne s'était jamais autant bidonné, même pas la fois où notre autobus scolaire avait dérapé dans le fossé et qu'on avait eu congé d'école pour le reste de la journée. Il me dit qu'à la relâche, il va m'inviter avec Oli et qu'on va pouvoir faire du *ski-doo* nous aussi. Bonne idée. J'ai hâte. Mais en attendant, j'ai un cahier à remplir.

À ma manière, je passe moi aussi de belles vacances de Noël. J'ai l'impression d'être en train de tourner une page. Comme si je relisais un livre avant de le refermer pour très long-temps. Je suis content d'avoir ces moments-là tout seul avec Lucas. La nuit, quand je m'endors sur ma feuille, je rêve de mon frère. Rien de bien compliqué. Pas de révélation géniale sur l'au-delà. Juste une présence apaisante. On dirait qu'il est heureux de ce que j'ai entrepris. Alors, je continue.

★

Après la visite de Lucas à la chapelle de l'hôpital, je pensais bien qu'on en avait fini avec la religion. Malheureusement, pendant deux autres jours, mon frère a été pris d'une ferveur qui avait cette fois pour objet les rites funéraires. Les choux de Bruxelles qu'il ne mangeait plus me restaient déjà dans la gorge et me donnaient mal au cœur. Quand, en plus, Lucas s'est mis à me parler de la façon dont les hommes traitaient les corps morts de leurs semblables, j'ai failli ne pas arriver à temps à la toilette. Autant Internet peut être utile, autant ça peut se révéler une vraie peste. Trop d'infos. Aucune censure. Je ne pensais jamais en arriver à me plaindre d'un excès de liberté… Mais franchement, dans l'état où était mon grand frère, je trouvais désolant qu'il ait accès à tous ces renseignements. J'ai failli prendre rendez-vous avec le directeur de l'hôpital pour lui suggérer de faire un président chinois de lui-même et de bloquer certains sites Internet. Je me suis retenu, et c'est tant mieux. Parce que je comprends aujourd'hui que parler des momies et des funérailles célestes des Tibétains était un autre moyen pour Lucas de s'éloigner de la réalité de sa fin prochaine. Et que, d'une certaine façon, la Toile était pour lui une sorte de planche de salut.

Mon frère s'obstinait à étudier la mort comme un phénomène qui arrivait à d'autres, des autres qui avaient la particularité d'avoir vécu à des siècles et à des milliers de kilomètres de lui... Je ne pense pas qu'il était conscient d'agir ainsi. Il se comportait comme si la mort était un simple objet de curiosité scientifique ou anthropologique, un mystère intéressant qui ne le concernait pas vraiment et pour lequel il pouvait éprouver une fascination vaporeuse sans lien avec sa situation personnelle.

Je n'ai pas beaucoup parlé, ces deux jours-là. J'ai écouté. Lucas m'a décrit avec animation les rituels funéraires observés depuis la préhistoire et je me souviens que ses discours me déprimaient. J'en suis venu à croire que, par une étrange alchimie, le chagrin que mon grand frère aurait dû ressentir franchissait d'un bond l'espace nous séparant, que, d'une certaine manière, sa peine venait se loger dans mon cœur. J'ai fini par contenir ce que Lucas ne supportait pas à ce moment, comme un sherpa qui prend sur son dos le bagage de son compagnon épuisé. Je n'étais qu'un enfant, mais j'avais de bons instincts. La transparence rend très sensible aux états d'âme des autres; depuis des années, je travaillais fort à deviner ce qu'on attendait de moi. Je m'y conformais, dans l'espoir qu'on m'aperçoive enfin. Devenir provisoirement le gérant des larmes de Lucas était tout à fait dans mes cordes.

N'empêche, il y a un prix à ça. Le frère d'un de mes amis était caporal dans l'armée canadienne lors du conflit en Afghanistan. Il avait une fonction dont je n'avais jamais entendu parler avant, une fonction atroce : il était porteur de cercueil. Chaque fois qu'un militaire canadien était tué, le frère de mon ami était là pour transporter le cercueil entre la morgue et l'avion qui le ramènerait au pays. Dans les pires moments de la mission, il a dû participer à cette cérémonie de la rampe jusqu'à deux fois dans la même journée. Le frère de mon ami ne s'est pas fait tirer dessus par les talibans. Mais il est revenu aussi traumatisé que ceux qui circulaient sur les routes minées et qui ont vu leurs collègues exploser en mille morceaux. Parce qu'il ne portait pas seulement les cercueils des soldats décédés ; il portait le deuil pour ceux qui avaient aimé ces soldats. Pour un instant, pendant que la cornemuse lançait ses notes déchirantes vers le ciel, il était le dépositaire de la peine qui habiterait ceux qui avaient perdu leur bien-aimé. D'une certaine façon, je pense que c'est ce que Lucas me demandait de faire pour lui : porter sa peine un peu, lui donner un répit.

Mais comme pour le frère de mon ami, toutes ces larmes ont fini par peser lourd. Il y avait des jours où je n'en pouvais plus et où je laissais monter à ma conscience l'idée horrible qu'il était temps que ça finisse. Et je ne pouvais même pas aller me confesser. Comme on était une famille de maudits mécréants d'athées, du moins d'après mon grand-père, je n'étais même pas baptisé. L'absence de ce premier sacrement excluant les suivants, je n'avais jamais fait ma première communion… ni connu le soulagement de la confession… Alors, me débarrasser de mes péchés comme d'une patate chaude en les refilant à un pauvre curé, ce n'était pas une possibilité.

J'ai donc écouté sagement Lucas. Sans protester. Même quand il s'est emballé au sujet des rites funéraires des éléphants et des hippopotames, une pure invention, selon les zoologistes dont j'ai plus tard consulté les sites Internet. J'ai contenu mes nausées lorsque mon frère m'a parlé du cannibalisme pratiqué par certains hommes préhistoriques, rituel découlant de la croyance qu'il fallait absorber l'énergie du mort, ne pas la gaspiller… C'est en tout cas ce que des spécialistes avaient déduit de leurs recherches sur la question.

Je n'en suis pas revenu – et je n'en reviens pas encore à ce jour – quand Lucas m'a raconté l'histoire de ces moines bouddhistes dont le corps ne se décompose pas et qu'on expose dans des temples japonais. Ces bonzes mettent plus de trois mille jours à atteindre cet état de perfection. Pendant les mille premiers, ils font des exercices et ne se nourrissent que de noix et de graines. Les mille jours suivants, ils mangent des écorces et des racines et boivent du thé de sève d'*urushi* infusé dans l'eau de source du mont Yudono, une eau contenant des concentrations très élevées d'arsenic… À la suite de quoi ils se retirent dans une chambre souterraine exiguë et ils prennent la position du lotus. Un tube les relie à l'extérieur, pour qu'ils puissent respirer. Une fois par jour, ils doivent sonner une cloche pour confirmer qu'ils sont toujours vivants. Puis, ils meurent. Leur corps est laissé mille jours dans la tombe scellée. Quand on l'en exhume finalement, s'il n'est pas décomposé, le moine est élevé au rang du Bouddha et son corps devient sujet de vénération dans les temples du pays. Se donner tant de mal pour devenir un objet d'exposition, une fois mort. Décidément, quelque chose m'échappe.

Ça ne s'est pas terminé là-dessus. Il a encore fallu que mon frère me parle du Tibet.

— Chez les bouddhistes, pas question d'enterrement. L'âme doit pouvoir s'élever vers le ciel. On aime donc beaucoup les bûchers funéraires.

Ma gorge s'est serrée au souvenir des veuves brûlées vivantes sur le bûcher de leur époux. Lucas m'a ramené au pays de l'Himalaya.

— Là-bas, il n'y a pas beaucoup de bois, alors la crémation est réservée aux lamas et aux personnalités. Les autres, on donne leur corps aux poissons. Ce sont les funérailles de l'eau. Ou alors, on dépose leur dépouille sur un rocher sacré et on laisse les vautours et les chiens sauvages éliminer les restes. Ce sont les funérailles célestes.

Vous dire les cauchemars que cet exposé m'a causés…

Lucas est ensuite passé aux pharaons avec leurs cent cinquante mètres de bandelettes de lin et leurs tombeaux extravagants dont l'objectif était de fixer l'âme du mort pour qu'elle n'aille pas errer partout et déranger les vivants.

— Imagine, Théo, si on était dans l'Antiquité grecque, on aurait des pleureuses professionnelles payées pour se griffer le visage…

J'imaginais… J'imaginais… Tellement bien que j'avais été obligé de dormir la lumière allumée pendant des jours…

Chapitre 10

— **É**coutez… Je suis désolé… Mais votre garçon, il n'en a plus pour très longtemps. Une semaine, peut-être un mois, tout au plus… Il faut que vous le sachiez.

Cette conversation qui n'en était pas une se tenait à guichet fermé dans une petite pièce de l'étage de pédiatrie réservée à cet usage. Dès qu'une famille était convoquée dans ce bureau, la panique commençait. Certains parents étaient stoïques. D'autres se liquéfiaient avant même de franchir le seuil et d'entendre la sinistre nouvelle. Pour leur part, mes parents sont entrés dans le local aux catastrophes à un mètre l'un de l'autre, raides comme des piquets de clôture, le visage de cire et les yeux écarquillés devant l'innommable qui s'annonçait. Leur chagrin avait creusé un fossé entre eux. Fossé qui s'est soldé par leur divorce moins d'un an après la mort de Lucas. Pour qui savait lire entre les lignes, la fracture qui les diviserait pour toujours était déjà visible le jour de cette convocation par l'oncologue.

Je n'avais pas été admis à ce conciliabule, pour cause d'âge tendre. Sauf que j'avais de jeunes oreilles, justement. Des oreilles presque bioniques. Le funeste verdict ne leur avait pas échappé. Je me suis enfui non sans avoir d'abord entendu mes parents protester vivement et affirmer que Lucas semblait, au contraire, aller mieux. Il avait un peu de couleur aux joues, un peu d'énergie même. Ils essayaient de négocier. Mais on ne fait pas de compromis avec la Faucheuse.

Mon grand frère avait perdu la guerre. Ses cellules maboules enragées avaient gagné. Jusqu'à ce moment, je pense que j'avais tout fait pour ne pas comprendre que Lucas était réellement en train de mourir. Son hospitalisation, son crâne chauve, les aiguilles fichées dans sa chair, je les avais traités comme des pièces déconnectées ne fournissant aucune information d'ensemble pertinente. Soudain, ça me rentrait dedans. Lucas n'en avait plus pour longtemps. Il mourrait pour de vrai et, quand il serait mort, ce serait pour toujours. Pas pour une semaine ou deux. Non, pour toujours. Jamais plus on ne rigolerait ensemble comme seuls deux frères peuvent rigoler. Jamais. Ça me glaçait l'intérieur.

Tout le reste était effacé : la fois où j'avais dit que je le tuerais parce qu'il avait prêté mon vélo à un de ses amis qui me l'avait complètement démoli ; et cette autre fois où mes parents n'avaient pas pu assister à mon concert de fin d'année parce que c'était le premier jour du camp de vacances organisé par Leucan pour les jeunes souffrant de cancer et qu'ils devaient y accompagner Lucas. Mon concert n'avait pas fait le poids. Le cancer l'avait emporté, comme toujours. Cependant, le jour de la funeste annonce, dans le local damné, ce n'était pas sur moi que le cancer gagnait, mais sur Lucas. J'étais écrasé de chagrin. Je n'arrivais même plus à avaler ma salive. Les larmes ont commencé à rouler sur mes joues. Silencieuses. Lourdes. J'ai couru vers la sortie.

J'ai atterri dans les bras de Cassandre. Elle a d'abord souri, comme d'habitude, croyant sans doute que j'avais fait une bêtise et que j'étais en train de m'enfuir à grands pas – ma spécialité –, ou alors que j'avais un rendez-vous urgent avec une fille. Elle était prête à me taquiner. Prête à mettre son grain de légèreté. Mais sitôt qu'elle m'a regardé en face, j'ai senti qu'elle me prenait dans ses yeux et qu'elle y lisait la terrible vérité.

Plutôt que des mots de consolation si vides qu'ils auraient semblé pleins d'écho, Cassandre a déclaré que, de toute façon, elle ne croyait pas aux miracles et que, forcément, c'était évident depuis le début que cette histoire allait mal finir. Avec une grimace, elle a ajouté qu'elle l'avait bien dit à mon frère qu'à traîner dans les hôpitaux, il allait s'attirer de graves problèmes.

— Mais personne ne m'écoute jamais.

A suivi un discours sur le fait qu'elle ne croyait pas au paradis à la fin de nos jours, que l'éternité, c'était maintenant, à chaque seconde qui passait. Et qu'on gaspillait trop souvent cette seule éternité qu'on aurait à rêver de demain. Je ne comprenais que l'essentiel. C'était beau. À un moment donné, trois bénévoles sont passées à côté de nous avec des boîtes pleines de décorations d'Halloween. L'Halloween. J'avais complètement oublié que c'était le lendemain. Cette vision a donné une idée à Cassandre, une idée pour profiter du petit bout d'éternité qu'on avait encore sous la main. Il ne s'agissait pas d'une attaque d'espoir idiot. Nous savions que la situation était désespérée.

— Attends-moi ici cinq minutes. Je vais voir Lucas un instant et je reviens. Ce soir, tu dors chez moi.

Après sa visite à mon frère, Cassandre est revenue et on a filé chez elle, avec la bénédiction de mes parents trop contents de savoir leur fils transparent en de bonnes mains, parce que, sincèrement, avec la nouvelle que le docteur leur avait assénée, ils n'avaient pas l'énergie de s'occuper d'un autre catastrophé.

Une copine avait prêté sa petite Coccinelle à ma rockeuse de tante, la moto de celle-ci étant temporairement au garage. Tout en conduisant, Cassandre a effectué quelques appels téléphoniques avec son cellulaire. À un feu de circulation, on s'est retrouvés juste à côté d'une auto-patrouille. Le policier a fait signe à Cassandre de rempocher son téléphone. C'était quand même gentil de sa part, il aurait pu lui ficher une contravention. Avec un sourire désarmant, ma jeune rebelle de tante a brièvement déposé le cellulaire sur ses genoux. Le feu est passé au vert, le policier s'est éloigné. Cassandre a récupéré le téléphone et a poursuivi sa conversation. Elle parlait d'une fête à organiser d'urgence pour le lendemain. Manifestement, ce n'était pas un policier qui allait lui faire négliger une affaire si sérieuse.

Je ne sais pas si j'ai dormi cette nuit-là. J'imagine que oui puisque je me suis réveillé sur le canapé de Cassandre. On était samedi. J'ai passé la matinée dans les vaps pendant que ma jeune tante naviguait sur Facebook, toujours pour cette histoire de party qui devait avoir lieu le soir même. Quand l'après-midi est arrivé, je me suis botté le derrière et je suis allé à l'hôpital. À la vue de Lucas, j'ai songé que mes parents avaient peut-être raison après tout : les imbéciles de docteurs devaient avoir mélangé des résultats de tests et attribué par erreur une mort prochaine à mon frère. Parce qu'il n'avait pas l'air plus malade que la veille. Au contraire, je lui trouvais même une mine joyeuse. Mais *joyeuse* n'est sans doute pas le bon mot. Une mine satisfaite ? Paisible ? Espiègle ? La mine de quelqu'un qui semble avoir pris une décision importante et qui en est heureux. J'aurais dû me méfier. Surtout quand Audrey est apparue avec le même air. Sauf que c'est facile de dire ça aujourd'hui, maintenant que je connais la suite des événements.

Mes parents sont venus, partis, revenus, repartis. Lucas leur a fait croire qu'il avait besoin de se reposer. À un moment, Cassandre est arrivée et a raconté qu'elle m'invitait de nouveau chez elle. Il n'y a plus eu qu'Audrey, Lucas, ma jeune tante et moi. Ce jour-là, encore, mon frère ne partageait sa chambre avec personne. Cassandre et Audrey ont alors déballé leur sac. Littéralement. J'ai dû avoir les sourcils en forme de points d'interrogation quand Cassandre m'a remis un nez de clown, une salopette jaune à gros pois verts et une casquette d'où s'échappaient de faux cheveux rouges.

— C'est l'Halloween, a-t-elle précisé. On sort faire la fête.

Pendant ce temps, Audrey et Lucas, visiblement au courant de ce projet extravagant, enfilaient leurs déguisements. Après s'être assurée que je faisais de même, Cassandre les a imités. Ensuite, elle a arrangé Lucas dans son fauteuil roulant. Heureusement que mon frère n'avait pas de soluté ce soir-là. On devait lui en réinstaller un le lendemain, mais pour l'heure, on était saufs. Parce qu'avec une pochette de liquide attachée à une grande tige chromée, on aurait eu du mal à passer inaperçus. Notre beau projet d'escapade aurait eu du plomb dans l'aile. On avait de la chance. Il y avait comme une éclipse dans la maladie de Lucas, avant l'apocalypse finale, et ces jours-là, mon frère n'avait pas non plus besoin de tube pour faire pipi à sa place. Ça m'aurait embêté, je crois, de le trimballer avec ce genre de tube.

Cassandre a enveloppé la jambe gauche de mon frère dans une épaisse serviette blanche. Puis, elle a remonté le repose-pied et a déposé la jambe dessus. Elle a recouvert le tout d'une couverture à rayures. Avec son costume et le rouge qu'on lui avait mis sur les joues, Lucas avait juste l'air d'un garçon à la jambe plâtrée qui avait décidé de fêter l'Halloween quand même.

J'ai été désigné pour pointer mon nez de clown hors de la chambre d'hôpital et vérifier que la voie était libre. Par miracle, elle l'était.

On n'a pas perdu une seconde. Cassandre a poussé le fauteuil roulant à toute vitesse. Un quart de minute plus tard, on filait dans l'ascenseur. Quand les portes coulissantes se sont ouvertes, au rez-de-chaussée, des gens ont reculé de quelques pas pour nous laisser passer. Ils ont souri en nous apercevant. Ils croyaient sans doute qu'on avait obtenu la permission de sortir notre ami blessé pour quelques heures. On les a salués.

Cassandre a recommencé à pousser le fauteuil de Lucas. Plus lentement cette fois. Pour bien montrer que tout était normal. Déguisée en Cléopâtre, elle avançait vers la sortie avec une telle souveraineté que le gardien de sécurité n'a même pas pensé à lui demander où elle croyait s'en aller comme ça avec un jeunot à la patte cassée en fauteuil roulant chromé.

Avec sa vraie couronne en faux or du Dollarama, sa perruque mauve et les deux ronds cramoisis sur ses joues, mon frère avait l'air d'un roi qui se serait laissé maquiller par son bouffon. Pour plus d'authenticité, il levait la main droite dans un geste très royal pour bénir la foule pâmée devant Sa Majesté et il hochait lentement la tête en clignant des paupières juste assez souvent pour qu'on sache que ce n'était pas un pantin grandeur nature mais bien un être vivant. Il ne manquait que le cortège d'esclaves nus qui auraient brassé l'air avec des plumes d'autruche ou de paon géantes, ça dépend du pays. Audrey et moi faisions le cortège à nous tout seuls. Une princesse de conte de fées et un clown, avec des salamalecs et des révérences dont je ne nous savais pas capables.

Les portes du mouroir se sont fermées automatiquement derrière nous dans les éclats de rire de la sentinelle et des spectateurs loin de se douter qu'ils venaient d'assister à une vraie de vraie évasion historique.

Avant que le doute leur vermicelle la cervelle et les conduise à quelques vérifications d'usage, on a couru dans le stationnement jusqu'à un Westfalia en ruine que Cassandre devait avoir emprunté à un ami. La fourgonnette était si grignotée par la rouille que je pense que la carrosserie tenait en place grâce aux fleurs autocollantes positionnées à des endroits stratégiques. N'empêche, c'était mieux adapté à nos besoins du moment que la moto de ma rebelle de tante. Ou la Coccinelle de sa copine. On a harnaché le fauteuil roulant dans l'habitacle arrière. On a fait la courte échelle à mon frère et on l'a assis à l'avant. Il était tout essoufflé, alors que c'était Cassandre et moi qui avions fait tout l'ouvrage. Il commençait à prendre son rôle de monarque solennel pas mal au sérieux. Ça promettait.

Pas un instant je n'ai pensé à l'énormité du crime que nous venions de commettre. Nous étions d'une désinvolture crasse. Certains diront que c'était la folie de la jeunesse. Moi, je pense que c'était une sorte de pied de nez désespéré au mauvais sort. Il y en a qui me trouveront lâche d'avoir laissé faire Cassandre. Ceux-là, je leur lance mes deux gants même si on gèle dehors et je les provoque en duel.

Chapitre 11

On a roulé sur la 1re Avenue, tourné à gauche, tourné à droite, tourné encore tant de fois que j'en ai attrapé le tournis et que je ne savais plus du tout où j'étais. La nuit était pleine de fantômes, de sorcières et de créatures extraterrestres qui accomplissaient leur pèlerinage annuel de maison en maison pour récolter des tas de bonbons dont ils ne mangeraient pas la moitié. Un gaspillage éhonté, diront les mêmes qui me reprocheront d'avoir aidé Cassandre à kidnapper mon frère malade. Mais ce ne sont pas tant les bonbons qui importent ; ce qui compte, c'est le plaisir du parcours. En tout cas, ces personnages magiques ajoutaient à l'atmosphère surréaliste régnant sur notre fugue.

Enfin, on s'est arrêtés devant un immeuble de briques avec un escalier extérieur en métal qui tourbillonnait vers la rue. À chaque dix marches, il y avait une citrouille sculptée avec une bougie à l'intérieur qui nous souriait de toutes ses dents, surtout les manquantes. Un grand barbu déguisé en zombie nous a ouvert sa porte. Il allait si bien avec le Westfalia déglingué que j'étais sûr que le véhicule lui appartenait. Il a serré Cassandre contre sa poitrine avec tant de chaleur que je me suis demandé s'il avait oublié les inclinations amoureuses de son invitée. Elle a eu l'air de les oublier un instant elle aussi et lui a rendu son étreinte avec la même fougue. On est entrés.

L'endroit était plein à craquer de personnes costumées pour l'occasion. On nous a accueillis comme si on se connaissait depuis toujours. J'étais le plus jeune, ce qui n'empêchait pas ces gens de s'adresser à moi avec une vraie de vraie considération. Je ne me sentais pas transparent du tout.

Quelques minutes après notre arrivée, il y a eu un mouvement de masse vers la cuisine. Le géant a tiré du four deux grosses omelettes bien gonflées et deux plateaux de brownies. En riant à l'avance, il les a posés sur la table. Des applaudissements ont retenti. Les omelettes étaient sans doute timides car, devant autant de bouches et de regards avides braqués sur elles, elles ont vite joué à l'Univers en pleine phase de dégonflement. J'ai déjà parlé de cette théorie du big bang et du big crunch. Mais je ne pense pas avoir dit qu'il y a des scientifiques qui prédisent qu'après le big crunch, il y aura un autre big bang. Et ce sera reparti, mon kiki. J'aimerais bien être là pour voir l'allure des humains à ce deuxième essai. Mais il n'y en aura peut-être plus, des humains. Parce que Dieu, s'il existe, il ne fera pas la même erreur deux fois, et s'il n'y a pas de dieu, ce serait quand même surprenant que tous les hasards darwiniens se hasardent de nouveau en notre direction, si vous voyez ce que je veux dire. Et puis, j'ai lu que deux parents pouvaient donner naissance à 70 000 milliards d'enfants différents ; les possibilités que je sois au rendez-vous pour voir le rappel sont microscopiques, atomiques, infinitésimales. En d'autres mots, pas loin de zéro. Mais je me suis un peu perdu moi-même… Revenons aux omelettes aux champignons du zombie barbu. On dirait qu'il suffit que j'écrive à leur sujet pour me trouver replongé dans l'état psychédélique qui a été le mien ce soir-là. Une sorte de *flash-back* hallucinatoire.

Règle générale, je n'aime pas les champignons. Mais de voir tous les invités se bousculer pour avoir une part d'omelette, ça m'a donné l'envie d'essayer. Cassandre n'était pas d'accord, sauf qu'elle ne pouvait quand même pas me surveiller toute la soirée, ni m'enfermer dans le placard à balai. C'était contre ses principes de fille qui a fréquenté l'école alternative où on apprend à respecter la liberté créative de ses voisins et de soi-même. Alors, je me suis servi une portion d'omelette aux champignons sauvages. Ce n'était pas très bon, malgré tout le fromage fondu ajouté pour cacher le goût pas très bon, justement. J'ai avalé deux brownies pour adoucir l'amertume qui me restait en bouche. Ils n'étaient pas très bons, eux non plus. Un peu âcres. Sauf que j'avais l'air d'être le seul à partager mon opinion, parce qu'après seulement cinq minutes, il ne restait plus une miette de l'omelette aux champignons ou des brownies. C'est peut-être une question de maturité des papilles gustatives, vu que j'étais le plus jeune de cette assemblée festive et que, c'est bien connu, les goûts changent en vieillissant.

L'appartement était tout petit et il y avait des gens partout, même sur le minuscule balcon. Je me souviens d'avoir eu une longue discussion avec une gitane au décolleté plongeant et aux bijoux de pacotille qui avaient l'air vrais. Je n'ai plus aucune idée des sujets que nous avons abordés. Je pense que, même sur le coup, on ne savait pas trop de quoi on jasait. La magie des champignons rendait tout très drôle et très léger. La romanichelle aurait pu parler roumain et moi mandarin et ça ne m'aurait pas surpris qu'on se soit compris. Pendant de longues minutes, mon attention se fixait sur des objets usuels que je n'aurais jamais crus aussi merveilleux. Un nœud dans une planche de bois, les motifs fleuris d'un divan, une frange dorée de coussin.

De leur côté, Lucas et Audrey paraissaient fascinés l'un par l'autre. Ils ne se quittaient pas des yeux et se tenaient par la main, au creux d'un gros fauteuil rembourré. Je suppose que l'omelette aux champignons leur faisait le même effet qu'à moi. J'aurais dû me sentir délaissé, mais ce n'était pas du tout le cas. J'étais comme ensorcelé par la vision de jolis cœurs stylisés qui flottaient dans les airs au-dessus d'eux. Quelqu'un avait mis de la musique et je voyais les portées voltiger à travers la pièce. Je n'arrêtais pas de rigoler. Cassandre a tenté de me disputer parce que j'avais mangé du fruit interdit, mais elle riait trop pour que je la prenne au sérieux.

J'ignore qui a eu l'idée de finir la soirée sur la grève à l'île d'Orléans. Je sais seulement que Cassandre a réussi à convaincre son ami barbu d'aller chercher mon grand-père au centre d'accueil. Quand Cassandre est motivée, ça fait un peu peur à voir. Les premières protestations du barbu ont été vite étouffées. Alors, hop là, enclenchement de l'opération «Il faut sauver papy». Ce papy qui avait l'âge d'être aussi le grand-père de Cassandre, mais qui était son père, question de naissance imprévue des années après la fin officielle de la famille déclarée par ma grand-mère. Le centre d'accueil était tout près. On y est arrivés en quelques minutes.

— Vous nous attendez ici, a ordonné Cassandre au moment où elle sortait de la fourgonnette avec le barbu. Pas de niaiseries. On ne joue pas, là. C'est hyper sérieux.

Devant son inhabituel air grave, Audrey, Lucas et moi, on a hoché la tête.

Pendant que je patientais dans le Westfalia, j'ai essayé de m'imaginer les ruses de Sioux que les deux zouaves devaient déployer pour réussir leur enlèvement. Je me suis figuré une course folle à travers l'hospice éveillé en panique ; des sirènes d'alarme écorcheuses de tympans appelant les forces policières à la rescousse ; des colosses en habits blancs – parce qu'ici on n'était pas en pédiatrie et on se foutait bien de faire peur aux vieux, alors les uniformes fleuris et colorés, on oubliait ça –, des colosses en habits blancs, donc, qui poursuivaient Cassandre, le barbu et mon grand-père pendant que les fugitifs sautaient à la haie au-dessus des tables de la cafétéria. Tant pis pour la vraisemblance. Dans mon délire, le barbu ferait un rempart de son corps entre les chasseurs et leurs proies. Il y laisserait peut-être sa vie. Mais la réalité fut tout autre. Les kidnappeurs ont eu une chance inouïe. C'était un attentat perpétré sans aucune préméditation, aucune planification. Au fond, c'était un geste qui tenait davantage de l'expédition humanitaire que d'un crime contre la personne. Mais quand même, s'ils s'étaient fait prendre…

La garde moustachue n'était pas en service. Finissant son quart de travail, il y avait plutôt une jolie blonde tout alanguie de fatigue qui somnolait dans un *lazy-boy* devant une télé enneigée. Elle n'a même pas vu les preneurs d'otage passer à quelques mètres d'elle. Enlever pépé a été un jeu d'enfant. Surtout qu'il était aux anges de recevoir de l'aussi belle visite.

C'était une bonne nuit pour grand-père qui, une fois n'est pas coutume, avait tous ses esprits et avait reconnu Cassandre sur-le-champ. Il était ravi de revoir sa pétillante rockeuse de fille et de fausser compagnie à ses gardiens pour quelques heures. Il a collaboré à l'évasion comme un pro, sans prononcer un mot plus haut que l'autre. Pendant que j'attendais dans le Westfalia avec Audrey et Lucas, je sentais une moitié de mon cerveau endormie et l'autre moitié assommée par les substances inhabituelles que j'avais consommées. J'avais l'impression qu'on était dans ce stationnement depuis un millier d'années.

Finalement, j'ai aperçu les trois silhouettes penchées qui se hâtaient vers nous. De la brume flottait sur les terrains entourant l'hospice. Le ciel était étoilé. Un peu de vapeur s'échappait de la bouche des conspirateurs qui se sont vite engouffrés dans le Westfalia avant de prendre la route vers l'île de Bacchus. Quand il m'a aperçu, papy s'est esclaffé.

— Tu as décidé de faire le malcommode, toi aussi ?

Puis, avisant Lucas et Audrey, il a exigé d'être présenté en bonne et due forme à la princesse accompagnant mon frère. Il a fait un baisemain à l'adolescente qui en a rougi de plaisir.

— Tu m'as l'air pas mal pimpant, a-t-il fait en serrant l'épaule de Lucas. Ça me réjouit de te voir, mon grand.

Dans son immense sagesse, grand-père n'a pas demandé s'il était raisonnable que mon frère soit dans un Westfalia déglingué plutôt qu'à l'hôpital. Mais peut-être qu'il ne se souvenait pas de la maladie de Lucas. J'ai dit que c'était une bonne nuit pour papy, pas qu'il était guéri.

En arrivant à Sainte-Pétronille, le barbu a emprunté un chemin de terre qui descendait vers la plage. Clouée sur un arbre, il y avait une pancarte où quelqu'un avait écrit « Terrain privé » en lettres tellement grosses que c'était sûrement en prévision du jour où un myope aurait l'idée d'invoquer l'ignorance pour expliquer avoir osé fouler le sol d'un terrain qui ne lui appartenait pas. Avec les lettres de trente centimètres de haut et dix de large, une telle excuse était à oublier. Cassandre a insisté pour que son ami stoppe le Westfalia et qu'il aille arracher l'affiche. Ensuite, on a continué la descente. Au bord de l'eau, il y avait une série de petits chalets, la plupart déjà fermés pour l'hiver avec leurs fenêtres aveuglées par de grands panneaux de bois et leurs portes verrouillées à triple tour. Placardés comme en prévision d'un ouragan. Des bateaux avaient été tirés sur la grève. Bientôt, ils seraient rangés dans des hangars, à l'abri de la neige qui viendrait, comme chaque année depuis des millénaires…

Des membres de la bande étaient arrivés avant nous et avaient allumé un gros feu de joie. Le barbu a jeté la pancarte « Terrain privé » dans le brasier en criant « À bas le capitalisme ! » et tout le monde a éclaté de rire.

Apercevant mon grand-père, un grand maigre au visage tatoué s'est précipité sur une galerie pour y pêcher une chaise de parterre. Il l'a installée tout près du feu, à côté du fauteuil roulant de Lucas. Audrey s'est laissé glisser sur le sable, le dos entre les jambes de mon frère qui lui caressait les cheveux. On avait deux rois. Un jeune. Un vieux. Et une princesse. Derrière eux, la grande Faucheuse à l'air sadique, évidemment. Pas invitée, mais là quand même. Ses proies s'amusaient. Ça l'enrageait.

Audrey a tiré de sa poche la boîte sculptée en forme de tortue dans laquelle elle avait déposé les cendres de sauge, de cèdre et de paille de l'enfant Jésus, issues de sa cérémonie de purification amérindienne. Elle s'est tournée vers Lucas et lui a fait le sourire triste que je croyais unique à notre famille. Mon frère a hoché la tête comme pour répondre à sa question muette. Audrey a creusé un petit trou dans le sable avant d'y verser les cendres d'herbes sacrées et de recouvrir le tout. Elle a remis la tortue sculptée dans sa poche. J'avais trop la tête en compote pour réfléchir à ce que ce geste solennel pouvait signifier. Elle venait de rendre les plantes magiques à la Terre Mère, quand même... Ce n'était pas rien ! Mais comme un vrai de vrai débutant que j'étais, j'ai laissé filer l'instant, mon attention aussitôt happée par la musique.

C'est drôle comme chaque fois qu'il y a un feu de grève, il se trouve quelqu'un pour gratter sa guitare. Peut-être que la noirceur n'y est pas étrangère, mais toujours est-il que même les plus timides se risquent à pousser quelques notes. Bientôt, l'air a été rempli de chansons. Les bouteilles de rhum et les pétards circulaient. On les faisait passer au-dessus de moi en riant. « Tu es trop jeune, Théo ! » Je m'en foutais. J'avais encore la tête pleine de vapeurs de champignons magiques et de pépites de haschisch des brownies. Pour éviter que je me sente exclu, une fille au nez percé d'un gros anneau doré m'a donné un sac de guimauves. Je les ai piquées chacune leur tour sur une branche au bout pointu et je me suis amusé à les incinérer. Il n'y a qu'un instant très vite passé entre le moment où une guimauve est dorée et gonflée juste à point et celui où elle s'enflamme avant de finir carbonisée. J'ai eu bien du plaisir à jouer avec cette frontière.

Le joint m'a survolé plusieurs fois. J'ai ri quand j'ai vu grand-père s'en emparer et s'étouffer. Et encore plus quand il a avalé une longue rasade de rhum brun, comme si le second était le remède au premier. L'un comme l'autre lui ont joliment embrouillé la cervelle, déjà fragile pour cause de matière grise en voie d'extinction, et il est devenu gai comme un pinson. Il affirmait voir des étoiles filantes. À un moment, il a juré avoir aperçu un OVNI et il est devenu tout énervé. Il a fallu que le barbu lui donne une feuille de papier et un crayon pour que mon grand-père écrive un rapport à la NASA. Son procès-verbal rédigé, papy l'a soigneusement plié et placé dans la poche intérieure de son veston en promettant de le mettre à la poste plus tard. Le pétard est repassé devant lui. Cette fois, il ne s'est pas étouffé.

Je lançais des coups d'œil à la dérobée à Lucas et à Audrey. La belle princesse au bois pas dormant s'était agenouillée devant mon frère et elle l'avait enlacé. Ils s'embrassaient. Doucement, lentement, comme s'ils avaient la vie devant eux. Cassandre faisait de même avec une jolie rousse à la bouille constellée de taches de rousseur. Quelques secondes ont passé, et les baisers se sont interrompus. Audrey a tourné la tête. Il y a soudain eu quelque chose qui ne peut être qu'un moment suspendu en dehors du temps. Un instant de grâce fragile pendant lequel cinq regards se sont accrochés les uns aux autres. Grand-père, Cassandre, Lucas, Audrey et moi nous sommes tout dit avec les yeux. Sans un mot. Que la vie était belle, qu'on s'aimait, que c'était cruel que ça finisse un jour, qu'on était bien, là, dans la chaleur du feu, qu'on avait eu de bons moments ensemble, qu'on aurait voulu que ça dure toujours, qu'on savait que la fin arrivait, que c'était triste, que c'était ainsi, que c'était bien quand même, et surtout qu'on s'aimait, qu'on s'aimait, qu'on s'aimait... Puis, aussi brusquement qu'il était venu, l'instant magique s'est évanoui. J'ai recommencé à entendre le son des bûches qui crépitaient, les notes de guitare, les vagues mourant sur la grève. J'ai souri, le cœur sur le bord d'éclater. Grand-père, Cassandre, Lucas et Audrey ont fait pareil.

C'était comme un adieu, mais ça n'avait pas le goût du chagrin.

J'aurais voulu que Li-Ann soit là pour partager ces délices avec elle. La chaleur du feu sur la poitrine, la fraîcheur de la nuit dans le dos, les étincelles qui s'échappent du brasier pour rejoindre leurs cousines, les étoiles ; les voix un peu éraillées des punks et des hippies rassemblés pour faire la fête. Je me serais peut-être aventuré à mettre ma main sur celle de Li-Ann et, si elle ne l'avait pas enlevée, j'aurais enlacé mes doigts aux siens et on aurait été mariés. Puis, éblouis par nos épousailles, on aurait admiré les notes de musique qui s'écrivaient à mesure sur l'écran des flammes.

L'espace de quelques secondes, je me suis coupé de moi-même et je me suis regardé penser comme un scientifique examinant un drôle de spécimen avec son microscope. Je me suis rendu compte que j'étais encore sous l'emprise des champignons magiques. J'ai pouffé de rire et j'ai vu des bulles s'envoler avec des «Ha! Ha! Ha!» écrits en vert fluo à l'intérieur. J'ai ri encore plus fort. Il y a eu un carambolage de bulles et des éclats de vert partout. La réalité me ricochait dessus. Je la voyais s'éparpiller en petites flammèches qui se mêlaient aux postillons flamboyants du feu de grève. Elle se lançait à l'assaut de la nuit. Tout laissait croire qu'elle se crevait à la tâche, mais allez donc savoir, avec la réalité. C'était peut-être une autre illusion. J'étais tout empêtré dans mes réflexions givrées ; je chevauchais des chimères. J'ai mis du temps avant de m'apercevoir que Lucas me parlait ; il avait approché son fauteuil roulant près de moi.

— On va faire un tour, m'a-t-il dit.

— Un tour ? Où ça ?

J'ai commencé à me lever.

— Non, pas toi.

Il avait un ton de directeur d'école qui ne rigole pas. Sa main, diaphane à cause du cancer, pesait une tonne sur mon épaule.

— Je vais faire un tour avec Audrey. Tu nous attends ici.

Le vent s'était levé. S'il avait encore eu des cheveux, Lucas aurait été tout décoiffé. Sa couronne de roi s'était envolée. Par mesure de précaution, il avait pris sa perruque violette dans sa main, puis il l'a déposée sur mes genoux.

— Tu me la gardes, OK ?

— Vous allez où ? ai-je insisté.

— Faire un tour de bateau.

— Vous êtes fous ! Il fait noir et il vente bien trop !

C'était probablement un éclair de lucidité entre deux nuages de champignons hallucinogènes. J'ai balayé la plage des yeux et découvert Audrey qui embarquait des rames dans une vieille chaloupe échouée sur la grève.

Pendant que je la regardais, elle l'a tirée vers le fleuve et l'a mise à flot.

— Audrey est une championne de kayak. Ne t'inquiète pas, Théo. Elle a déjà gagné une médaille aux Jeux du Québec. Elle sait aussi se débrouiller avec des rames et une chaloupe.

— Alors, pourquoi vous ne m'emmenez pas?

— Il n'y a que deux vestes de sauvetage, petit frère.

— Ah bon...

C'était un argument foireux. On n'aurait eu qu'à fouiller un ou deux bateaux pour en trouver d'autres. Sauf que j'avais la *comprenure* en marmelade. Comme les grands malades devant les brillants docteurs qui les accusaient de s'être causé eux-mêmes leurs maladies mortifiantes et mortifères.

— Attends-nous ici! a crié Lucas pendant que son amoureuse l'aidait à grimper dans l'embarcation. Ne perds pas ma perruque.

J'ai fait comme il disait. Longtemps je les ai suivis du regard. Audrey ramait de toutes ses forces. Elle a finalement réussi à s'éloigner du bord. Le courant les a emportés. Les rafales étaient de plus en plus fortes. Le bateau plongeait dans les vagues plus hautes que lui, soustrait à ma vue pendant de longs moments. Une angoisse prémonitoire s'est infiltrée dans mes veines. Je l'ai sentie se loger dans l'os dont on

155

avait extrait la moelle pour la transférer à mon frère. Je percevais son battement sourd. On aurait dit un tambour dans une cérémonie lugubre des temps anciens. Un sacrifice se préparait, un sacrifice humain. Je le pressentais. J'ai voulu alerter les autres. On m'a pris pour le petit frère qui fait une scène pour se rendre intéressant, mais qui est seulement jaloux, dans le fond. Plus tard, j'ai compris que quelques-uns se doutaient de ce qui se tramait, tout en refusant d'intervenir, et qu'ils cherchaient à endiguer ma panique. Comme Cassandre, ils avaient probablement fréquenté l'école alternative et avaient désormais le respect des décisions d'autrui bien incrusté dans leur esprit. Quant à papy, l'alcool et le cannabis avaient eu raison de lui. Il ronflait comme une locomotive.

J'ai continué de fixer l'horizon aussi long-temps que j'ai pu. La chaloupe n'était plus qu'un point. Finalement, la nuit l'a avalé. J'ai persisté à attendre. On m'a enveloppé dans une couverture. Les heures, le haschisch et les champignons magiques ont vaincu ma résistance à moi aussi. Je me suis endormi, comme mon grand-père. J'ai honte. Pendant que mon frère mourait, moi, je dormais.

Chapitre 12

J'ai fait des rêves qui se sont ensuite tout mélangés avec les bribes de ce qu'on m'a appris. Je n'arrive pas toujours à distinguer le vrai de l'imaginé.

Le bateau emprunté par Lucas et Audrey a été retrouvé dérivant tout seul sur le fleuve. Les amoureux avaient disparu. Appelés sur les lieux, les garde-côtes ont immédiatement entamé des recherches. Aucune trace d'adolescents flottant quelque part, maintenus à flot par des gilets de sauvetage. Audrey et mon frère n'en avaient pas enfilé et avaient coulé à pic. Pourtant, il y avait une cargaison de belles vestes de flottaison dans un coffre glissé sous un banc de la grosse chaloupe. Je l'ai appris quand les sauveteurs ont remorqué la barque jusqu'à la grève. Lucas et Audrey m'avaient menti. Ces deux zouaves condamnés avaient-ils décidé de couper l'herbe sous le pied de la Faucheuse? Lui avaient-ils forcé la main? Ou alors avaient-ils été victimes d'un stupide accident? Dans les premières heures qui ont suivi leur noyade, rien n'était clair. Rien, mis à part le fait qu'ils étaient partis dans un début de tempête avec une bouteille de vodka qu'ils ont dû boire au goulot.

Quelques heures plus tard, les plongeurs de la police ont remonté les corps d'Audrey et de Lucas, encore liés entre eux par les poignets, au moyen d'une mince corde nautique. J'ai eu l'impression de me transformer en guenille. Ce lien noué serré signait l'autodestruction délibérée. Les yeux fermés, je voyais, comme si j'y étais, mon frère et son amoureuse se sourire tristement en attachant le filin qui les retiendrait l'un à l'autre jusqu'à la fin. Dans les films, c'est toujours le moment où on fait jouer une musique de circonstance, des violons assez souvent. Mais dans la vraie vie et dans la vraie mort, il y avait seulement le battement de tambour que faisait le sang dans mes oreilles. Mon sang qui n'avait pas été assez bon pour ressusciter Lucas, juste assez pour lui donner l'énergie de se suicider.

L'espace d'un instant, j'ai rejoint les noyés dans l'abîme où ils s'étaient enfoncés et lorsque j'en suis remonté, à bout de souffle, les poumons au bord d'éclater, je n'étais plus le même. Des années plus tard, je comprends que j'ai laissé mon enfance au bord de ce fleuve dont les vagues d'acier avaient broyé mon frère et la fille qu'il aimait.

J'ai essayé de les détester. Mais je n'ai pas pu. Je les ai engueulés, injuriés. Espèces d'idiots, de sales nombrilistes qui se pensaient seuls au monde. Je pleurais de rage. Il me semblait que c'était moins humiliant que de pleurer de chagrin pour deux beaux égoïstes qui m'avaient laissé derrière. Ils avaient si hâte que ça d'être raides morts? Ils étaient aussi impatients que ça de crever? Ils se fichaient complètement des autres. Je me suis moqué de Lucas qui avait désespérément cherché une dernière phrase brillante dans un petit livre idiot de citations. Tout ça pour finir par me dire : «Attends-nous ici. Ne perds pas ma perruque.» Ça ne passerait pas à l'histoire. Même si j'avais retrouvé quelque chose de précieux au fond de la perruque. Quelque chose que j'ai toujours gardé pour moi.

J'ai accusé Lucas et Audrey d'avoir voulu m'assassiner à coup d'abandon sauvage et prémédité. Il me semblait que tant que je serais fâché contre eux et que je les engueulerais, ils resteraient vivants. Me réconcilier avec leur décision me paraissait revenir à les tuer une seconde fois, avec plus de violence encore que l'eau s'infiltrant dans leurs poumons.

Mais la colère ne dure qu'un temps. Elle a fini par se tarir, cédant la place à un grand chagrin plein de compréhension et de sollicitude… et d'impuissance… et d'impression d'avoir échoué quelque part. Je m'efforce d'emprunter leur tête pour me persuader, comme eux, que leur geste était inéluctable. Mes yeux se remplissent d'humidité que je chasse à coups de poing rageurs. J'ai longtemps préféré être enragé.

Les bien-pensants ne seront sans doute pas satisfaits de ce dénouement violent et tragique. Ils diront que c'est une fin romantique à l'eau de rose. Ils auraient peut-être préféré une version dans laquelle Audrey et Lucas reviennent de leur virée en bateau. Une version tout aussi cruelle, sinon plus, qui se terminerait quand même par la mort des amoureux. Une mort lente et loin l'un de l'autre.

J'avoue que j'ai trouvé terrible d'aller reconduire mon grand-père au centre d'accueil après cette fête d'Halloween qui a tourné au film d'horreur. Je pense que ça aurait été mieux pour lui s'il avait coulé avec Audrey et Lucas. Il n'a plus été pareil par la suite. Une écorce désertée à tout jamais par l'âme qui l'habitait. Il a commencé par se faire disputer par un préposé boutonneux à peine plus âgé que moi.

Papy a encaissé ces reproches infantilisants sans riposter. Puis, il s'est laissé gagner par la fatigue. La fatigue d'être vieux. La fatigue de sentir sa mémoire se détricoter et lui échapper peu à peu, inexorablement. Dans ce foyer qui n'avait d'accueillant que le nom, mon pépé était bien placé pour voir l'avenir vraiment pas reluisant qui l'attendait au prochain tournant. Après cet Halloween, il a tout à fait perdu la tête. Et j'ose dire que c'était tant mieux pour lui, parce qu'elle était pleine de souffrance, sa tête toute blanche qui avait jadis été toute noire.

Mon grand-père vit toujours, si on peut appeler ça vivre. Bientôt, il s'étouffera en mangeant et mourra. Il finira étouffé par une bouchée de patates pilées, noyé par une mixture gluante et insipide. Honnêtement, est-ce que ça aurait été moins acceptable s'il s'était noyé dans le fleuve? Au moins, il ne serait pas mort tout seul...

J'espère que Lucas et Audrey se sont embrassés avant de plonger. Si j'y pense très fort, je peux voir la scène. Dans les semaines qui ont suivi, il y a eu des moments où j'ai regretté que Lucas et Audrey ne m'aient pas amené avec eux. Je me sentais abandonné, laissé sur le quai, sur le rivage... Rejeté. Invisible. D'un autre côté, je n'aurais pas voulu les accompagner. J'y ai bien réfléchi et je n'aurais pas voulu mourir noyé à douze ans. Je ne voulais pas mourir tout court. Eux, ils avaient leurs raisons.

Je savais que j'y passerais un jour. En attendant, j'avais décidé de savourer l'éternité de chaque instant, comme l'exigeait Cassandre. Et puis, il fallait encore que je me marie avec Li-Ann. Je continuais de me promettre de le faire le lendemain. Ou quand ses cheveux auraient repoussé et toucheraient ses épaules. Mais je ne me décidais pas. Je me suis finalement résigné à l'avoir épousée en secret, me disant qu'un jour, je lui apprendrais la bonne nouvelle et que ça lui ferait une belle surprise.

Les policiers ont cherché des lettres d'adieu. Mon frère en avait écrit une à nos parents. Ils l'ont reçue quelques jours après sa disparition, et l'ont transmise aux autorités. De mon côté, je n'ai jamais partagé avec qui que ce soit le message que Lucas m'avait envoyé via son cellulaire. Quant au cellulaire lui-même, j'ai fini par le jeter dans le fleuve, là où tout le monde pensait qu'il était, puisqu'il avait été porté disparu en même temps que Lucas. Alors que je l'avais eu sur les genoux pendant des heures, au fond d'une perruque violette, enveloppé dans une feuille de papier qui disait seulement : « Théo, tu liras tes courriels. »

Mes parents, mon père surtout, ont été furieux contre Cassandre, qu'ils ont tenue responsable de cette fin tragique. N'avait-elle pas été l'instigatrice de cette fête d'Halloween ? N'avait-elle pas enlevé mon frère ? Et papy ? À quoi pensait-elle ? Se croyait-elle au-dessus des lois ? Sous les reproches, Cassandre se cabrait, ruait, comme un cheval éperonné sans ménagement par son cavalier. Toutefois, je voyais bien qu'elle ne tenait debout que par la force de sa volonté. Elle n'avait pas besoin que qui que ce soit lui rappelle le rôle qu'elle avait joué dans ce dénouement triste à mourir. Elle voulait célébrer la vie, pas causer la mort. Elle était catastrophée par la tournure des événements. Mais, au fond d'elle, je pense qu'elle compatissait à la douleur infinie qui avait poussé Audrey et Lucas à s'éclipser brutalement. Cette sympathie lui faisait du mal tout en lui faisant du bien.

Puis, maman et papa ont reçu le message d'outre-tombe de Lucas. Alors, ils ont compris que Cassandre n'avait été qu'un instrument malgré elle.

Pour ma part, je crois que je n'ai jamais complètement pardonné à Lucas de m'avoir laissé tomber comme une vieille chaussette dépareillée. J'ai eu la fidélité tout éraflée. En même temps, je me rendais compte que si j'accusais les amoureux d'avoir été égoïstes, je ne l'étais pas moins en ramenant tout ça à ma petite personne. Mon frère et Audrey ne s'étaient quand même pas noyés exprès pour m'embêter... Je leur en voulais d'avoir décidé d'arrêter net de vivre, mais je les comprenais.

★

Quand ce sera mon tour, je voudrais mourir en parfaite santé. Dans un accident d'auto, par exemple ; ou encore dans un écrasement d'avion, au retour d'un fabuleux voyage dont j'aurais longtemps rêvé. Je pense que je serais même content de mourir dans l'avion qui me mènerait vers ce fabuleux voyage, vu que j'aime souvent mieux les moments que je passe à préparer mes plaisirs que les plaisirs eux-mêmes... Je partirais pour le Népal. Ou le Kenya. Ou la Chine éternelle. Mais je ne voudrais pas que mon choix de mort brutale implique des passagers non consentants. Tout compte fait, peut-être que l'accident d'avion est à oublier.

En tout cas, je sais que je veux mourir en égoïste. Je m'en contrefiche que ma mort prenne mes proches par surprise, qu'ils aient un choc. Ils vont survivre. J'ai assez essayé de mourir pour savoir qu'on a la vie dure. Ce sera un mauvais moment à passer pour eux, c'est tout. Tant pis pour les longs mois de préparation que leur aurait offerts ma mort lente par maladie. Je ne suis pas généreux au point de me taper des mois ou des années de souffrance juste pour adoucir les choses pour les autres. La mort annoncée de Lucas m'a paru cruelle. Pas seulement parce qu'il était si jeune quand les cellules maboules enragées se sont mutinées dans ses veines, mais aussi parce que ce n'est pas humain de demander à un être vivant de regarder venir sa mort les yeux grands ouverts. C'est sadique. Au-delà de mes forces à moi, ça c'est certain. Ceux qui osent exiger ça des autres, ils sont soit complètement inconscients, soit affreusement indifférents aux sentiments d'autrui, ou alors, ce sont des bouddhistes de la trente-septième génération qui ont le détachement gravé dans leur code génétique… Désolé, endurer ce qu'a vécu mon frère, c'est trop me demander. Alors, l'accident d'auto, ça me conviendrait bien. Dommage qu'il n'existe pas de guichet ou de site Internet sur lequel je pourrais faire une réservation. Mort à la carte.com. Ça aurait un succès monstre…

Malgré ma colère, le geste d'Audrey et de Lucas me paraissait compréhensible. Et je me suis senti coupable d'avoir osé penser du mal d'eux. Après, j'ai été fâché contre eux d'avoir fait quelque chose qui me faisait me sentir coupable… Un beau méli-mélo pourri superposé en couches plus dégueulasses les unes que les autres. Et puis, un jour, je suis tombé sur un petit bouquin. Sans images. Sans fioritures.

Un petit livre qui racontait l'histoire d'un gamin qui souffrait d'une maladie semblable à celle de Lucas. Ce garçon, Oscar, avait décidé de vivre ses derniers jours comme si chaque journée valait dix ans. En bout de ligne, Oscar mourait quasiment centenaire[2]. C'était peut-être ce qui était arrivé à Lucas finalement. Quand on sait qu'on approche du bout de la route, va savoir, peut-être que le temps se télescope, s'emballe, s'étire, fait des vrilles et qu'on en sort l'âge tout déboussolé. Tant mieux si c'est le cas. Possible que Lucas et Audrey se sentaient comme Oscar au bout de ses dix jours, tout rabougris et tout contents comme des centenaires qui auraient tout vu ce qu'ils s'étaient promis de voir dans la vie et qui auraient même un petit peu hâte de goûter du neuf. La vie, ça finit toujours, mais pas toujours mal.

Je ne sais pas si Lucas a décidé qu'il croyait en Dieu ou pas, en l'immortalité de l'âme ou en sa finitude. Mais le jour de ses funérailles, j'ai lancé dix-huit beaux cailloux dans le fleuve : un pour chacune de ses dix-sept années de vie et un pour la chance. Je les avais choisis avec soin. Ils étaient larges, plats et très lisses. Ils tenaient bien dans le creux de ma main. J'ai lancé les premiers avec colère. Ils se sont

---

2. Éric-Emmanuel Schmitt, *Oscar et la dame rose*, Paris, Albin Michel, 2003.

enfoncés sans aucune élégance. Puis, j'ai inspiré longuement et je me suis calmé un peu. J'ai évoqué des souvenirs heureux de Lucas, des images où nous étions bien ensemble. Ça a marché. Les cailloux suivants ont fait de longs ricochets avant de couler. Il y en a un qui a rebondi cinq fois avant de plonger pour de bon. Lucas aurait été fier de son petit frère. Je ne voyais plus les cailloux, mais je savais qu'ils étaient là, quelque part. J'ai essayé de me dire que c'était pareil pour Lucas. Je ne pouvais pas en être sûr. Personne ne peut en être sûr. Et le défi, c'est de vivre quand même. Malgré cette ignorance, malgré cette incertitude. Sans laisser ce doute tout saloper. Vivre quand même, comme Lucas l'a fait jusqu'au bout. Il était apparu un court instant en ce monde, avant de disparaître à tout jamais. Le temps d'aimer une fille et de l'embrasser.

L'éternité, c'est maintenant. Je ne voulais pas la gâcher en m'inquiétant trop pour demain.

Chapitre 13

Cet après-midi, ma mère est revenue de son voyage dans le bois. Les joues rouges, de nouvelles taches de rousseur sur le nez. Elle avait l'air d'avoir profité de son séjour. À voir son allure pétante de santé, je me suis dit qu'il faudrait peut-être que je ravise mon opinion sur les légumineuses et le vin chaud. Elle m'a ébouriffé les cheveux comme quand j'étais petit et a souri devant le tas de bougies consumées autour de moi.

— Comme ça, il n'y a eu qu'une petite panne de rien du tout ? a-t-elle maugréé, d'un ton faussement fâché.

— Un peu plus que ça, ai-je avoué en souriant à mon tour. Mais je ne voulais pas que tu t'inquiètes pour moi.

— Dis plutôt que tu ne voulais pas que je rentre plus vite que prévu, mon grand *snoreau*.

Je me suis contenté d'élargir un peu mon sourire.

— Allez, je te comprends, a-t-elle fait. Je me rappelle quand j'avais ton âge et que mes parents partaient pour un week-end d'amoureux. J'adorais ça. La maison à moi toute seule. Maïs soufflé à volonté. Musique au max…

J'ai écarquillé les yeux. Ça sentait l'arrivée des reproches. La voisine du dessous avait dû se plaindre.

— J'ai parlé à madame Gélinas, a confirmé ma mère. Ou plutôt, madame Gélinas m'a parlé. J'avais à peine commencé à monter l'escalier qu'elle m'attendait sur le seuil de sa porte.

J'ai avalé de travers.

— Bof, ne t'en fais pas avec ça, a dit ma mère. Cette chipie ne vit que pour rouspéter. Au fond, en écoutant de la musique aussi fort, tu lui as rendu service : ce jour-là, tu lui as fourni la raison idéale pour être de mauvaise humeur.

À ces mots, ma mère a gloussé comme une poule et a caché sa bouche derrière sa main, gênée.

— Je suis vraiment langue sale, a-t-elle bredouillé. Médire des vieilles gens… Elle est probablement très gentille, madame Gélinas.

170

— Sauf qu'elle le cache bien, ai-je souligné.

— Très, très bien, a acquiescé ma mère.

On n'a pas pu se retenir de s'esclaffer.

— Alors, mon grand, qu'est-ce que tu as fait de bon cette semaine ?

J'avais envie de garder encore un peu pour moi le secret de mes mémoires. Peut-être que je le partagerais avec elle un jour. Mais pas tout de suite. En plus, mon récit n'était pas complètement terminé.

— Pas grand-chose… Beaucoup de lecture, un peu de télé, Internet. Et puis il y avait toutes ces chandelles à garder allumées. De la grosse ouvrage !

On a rigolé de nouveau.

Ma mère nous a cuisiné des filets de porc farcis au fromage et aux pruneaux, qu'on a dévorés sur un lit de pâtes au basilic. Elle mangeait avec beaucoup d'appétit. Finalement, peut-être qu'elle n'aimait pas les légumineuses plus que moi. Elle s'est couchée tôt. Épuisée par toute cette raquette et ce grand air.

J'ai ressorti mon cahier du tiroir où je l'avais rangé. Je l'ai relu, apportant une correction ici et là.

★

À l'est, le ciel commence à s'éclaircir. J'ai officiellement dix-huit ans. Bientôt, ma mère

171

entrera dans ma chambre pour me souhaiter un joyeux anniversaire. Puis, mon père me téléphonera. Ce soir, on mangera tous ensemble au restaurant. Parce que j'ai insisté, ils auront invité Cassandre. On fera semblant que tout va bien. Sagement, on évitera certains sujets. Si on navigue avec assez de prudence, il est possible qu'on passe un bon moment.

Il ne me reste que quelques instants pour finir ma rédaction. Je me dépêche. J'ai l'impression qu'une fois mon cahier fermé, ce sera une nouvelle partie de ma vie qui commencera. Une vie dans laquelle il y aura toujours le souvenir de Lucas, mais sans les angles pointus qui m'ont longtemps égratigné le cœur. Le souvenir sera maintenant comme une agate. Un beau caillou poli par le temps. Rendu doux par l'usure. Il ressemblera à ceux que j'ai fait ricocher sur le fleuve, il y a de cela un peu plus de cinq ans. Quand j'aurai écrit le point final, je pense que j'enverrai un message à Marilou sur Facebook. Si elle me répond, je l'inviterai à prendre un café quelque part.

J'ai beaucoup parlé de moi, cette nuit. Alors, pour finir, je cède les dernières pages à Lucas. À son message texté sur son cellulaire, le jour de son grand plongeon. Son portable était en panne. Il lui avait bien fallu se rabattre sur les moyens du bord. C'est probablement le texto le plus long envoyé à ce jour. Tellement long

qu'il a dû me l'envoyer en plusieurs parties…
Quand je pense au temps que ça a dû lui
prendre… Lui qui n'en avait quasiment plus…
J'ai la gorge qui picote et les yeux qui
s'embrouillent.

*La vie est rendue au-dessus de mes forces,
petit frère.*

*Si ça continue, je ne pourrai même pas
me défendre quand la grande hypocrite de
Faucheuse décidera de venir m'arracher à
cette terre où je n'aurai pas eu le temps de
prendre racine. Tu me connais, Théo, moi,
être sans défense, ça me met sans connais-
sance. Alors, je me tire. Avec Audrey qui
n'aura pas le temps de prendre racine elle non
plus, parce que la brute de Faucheuse a décidé
de lui arracher les rêves. C'est dur à croire
que ma fée est déjà en agonie en dessous de
sa peau bien rose, sauf sous les yeux où ça
se voit qu'elle ne dort plus. Mais elle est belle
quand même. Tous les deux, on a déjà un
pied dans la tombe. On fait la paire…*

*Les docteurs me disent de ne pas me
décourager. Ils me répètent que la chimio me
fera peut-être du bien. Mais me vois-tu guérir
maintenant ? Avec tout le monde qui m'a
fait ses adieux ? Même nos cousines de la
Gaspésie que je n'avais pas vues depuis trois
ans sont venues me saluer à l'hôpital, en
faisant semblant que c'était sur leur chemin*

de magasinage… J'aurais l'air de quoi si je ne mourais pas ? D'une girouette qui ne sait pas ce qu'elle veut ? D'un pauvre gars qui a voulu attirer l'attention et qui n'était même pas malade pour vrai ? D'un naufragé porté trépassé qui reparaît dix ans plus tard et qui casse le party que sa femme se paie avec son héritage enfin dédouané ? «Les absents ont toujours tort de revenir[3].» C'était dans le livre de citations que tu m'as apporté à l'hôpital. D'ailleurs, je ne me souviens pas si je t'ai remercié de l'avoir fait. Alors, je te le dis aujourd'hui : merci, Théo. Pas juste pour le livre. Pas juste pour la bouteille de vin. Pour tout. Merci de m'avoir traité tout le temps comme ton grand frère. Comme un vivant, même quand j'ai commencé à peser moins lourd que toi… Mais là, c'est le bout de la route…

J'ai dit que je mourrais, eh bien, je meurs maintenant. Je sens comme un regain d'énergie ces jours-ci. Ça ne durera pas. Alors vite, je vais en profiter et prendre les choses en main, une dernière fois. N'aie pas trop de peine, Théo. Même si c'est un peu niaiseux d'écrire quelque chose comme ça. Tu auras la peine que tu voudras… De quoi je me mêle… Mais quand même, j'espère que tu

---

3. Jules Renard.

ne m'en voudras pas trop de t'avoir gâché la fin du party.

Ce matin, j'ai posté une lettre de l'hôpital pour papa et maman. Tu n'auras pas besoin de partager ce message avec nos parents. Il est pour toi tout seul.

Je ne sais pas encore exactement comment je vais m'y prendre, mais je sais déjà que je ne reviendrai pas du party. Audrey et moi, on a pris notre décision. Elle s'est procuré un tas de pilules. Elle dit qu'il y en a assez pour empoisonner la moitié de la ville. Mais ce n'est pas un moyen sûr à cent pour cent. Depuis que je suis ici, j'en ai vu quelques-uns qui avaient raté leur coup avec des brouettes de comprimés. Je ne voudrais pas qu'on rate notre sortie. Alors, ça se peut qu'on improvise.

Tu vas me manquer. Qui c'est que je vais bien pouvoir battre au Mastermind? Qui c'est que je vais faire enrager? Et toi? À qui vas-tu faire subir tes petites vengeances de bébé lala? Penses-tu que je ne le savais pas que tu crachais dans ma soupe chaque fois que je refusais de te prêter mon cellulaire? Espèce de gros dégueulasse! Mais t'es-tu déjà demandé ce que je faisais, moi, quand tu me tournais le dos? Ben non, oublie ça, c'est juste des affaires insignifiantes… Des affaires de gars qui s'aiment, dans le fond. Mais qui ne savent pas comment se le dire. Regarde plutôt dans ta main la longue ligne de vie qu'Audrey t'a montrée, l'autre jour. Ça, c'est important. D'après Audrey, tu vivras au moins jusqu'à cent ans. Chanceux. Profites-en. Ne va surtout pas la vivre pour moi, ta vie. Vis-la pour toi. En savourant chacune des milliards de secondes qui glisseront sur toi. Mais si tu y tiens, tu peux la vivre un peu pour moi aussi. Je t'en donne la permission.

Si le tunnel de Philémon existe pour de vrai, je serai le premier à t'y accueillir. Et même si tu as une barbe et des cheveux blancs, je te reconnaîtrai. Je te montrerai le chemin du paradis, ce paradis auquel je prétends ne pas croire pour que les infirmières me trouvent brave. Et tu me raconteras. Tu me raconteras la première fois que tu as embrassé une fille. À moins que ce soit un gars. Tu me raconteras ta première nuit d'amour, même si ça se passe en plein jour. Tu me raconteras et je boirai tes paroles, mon frère adoré.

D'ici là, ne m'attends pas, Théo. Si je peux, je t'enverrai un signe. Mais peut-être que je ne pourrai pas. Et ça ne voudra pas dire qu'il n'y a rien de l'autre bord. Ne t'en fais pas trop avec ça. Ne laisse pas mon silence tout gâcher.

Lucas, ton frère qui t'aime

Note de l'auteure
et avertissement

J'espère que vous finissez ce roman avec, comme Théo, un certain émerveillement face à l'immense chance que nous avons d'être en vie, malgré l'inéluctabilité de notre fin, un jour, le plus lointain possible, comme le souhaite Lucas à son jeune frère... Si vous le désirez, vous pouvez nourrir votre réflexion en lisant un livre qui m'a beaucoup instruite : *La mort, mieux la comprendre et moins la craindre pour mieux célébrer la vie,* écrit par Richard Béliveau et Denis Gingras (publié aux Éditions Trécarré en 2010).

Dans mon roman, Audrey et Lucas font le choix de terminer leur vie abruptement. Très malades, sachant leur fin proche, ils prennent le parti de se suicider. N'oubliez jamais qu'il s'agit d'un ouvrage de fiction : je ne dis pas qu'il n'existe que cette solution extrême, même dans des situations qui paraissent désespérées. Malheureusement, chaque année, le cancer fait des milliers de victimes, dont certaines aussi jeunes que le Lucas de mon livre, et certaines même plus jeunes… D'autres ont eu la chance de vivre plus longtemps. Mais cette terrible maladie les a rattrapés quand même. Peu importe l'âge auquel le cancer frappe, c'est toujours une tragédie. Il ne faudrait surtout pas croire que je dis à ces malades de suivre les traces de mes personnages. J'ai raconté une histoire, j'ai imaginé une fin. Mais cela ne constitue pas un plaidoyer en faveur du suicide. J'ai simplement voulu témoigner d'une certaine réalité. Bien d'autres avenues sont possibles. Dont celle de s'éteindre tout doucement dans les bras de quelqu'un qui nous aime, comme l'a fait ma maman, par un dimanche de février tout ensoleillé. Elle avait soixante-dix-sept ans et je sais qu'elle aurait voulu continuer à vivre très, très longtemps. Ce livre est beaucoup pour elle.

TABLE DES MATIÈRES

LYNE

VANIER

*L*e frère de verre est mon vingt-troisième roman jeunesse. Il est écrit au *je,* mais il n'est pas auto-biographique. J'ai un frère et il est en parfaite santé !

Quand je n'écris pas, je travaille comme psychiatre. Pendant ma formation médicale, j'ai fait des stages de pédiatrie et côtoyé des enfants malades et leur famille. J'ai vu à quel point la maladie change tout et désé-quilibre bien plus que celui qu'elle touche spécifi-quement. Avec *Le frère de verre,* j'ai voulu donner la parole à ceux qui sont dans l'ombre. C'est un livre sur la mort qui parle finalement beaucoup de la vie.

Mon prochain roman aura des accents de folie, de passé – il se déroulera en 1908 – et d'ancien asile. Il devrait paraître l'an prochain, en 2013. J'espère vous avoir donné le goût de suivre mes projets d'écriture et avoir le plaisir de passer encore des moments en votre compagnie.

En attendant, célébrons la vie ! Profitons de chaque instant !

«La mort ? Pourvu que je vive jusque-là. »
(Jean Paulhan)

Collection Conquêtes